D0227406
Dear Elizabeth
my lastest but not
my last
Friendly yours
19/08/88

ESPRIT

DUMAS... INSOLITE

Réginald Hamel

DUMAS... INSOLITE

Collection Carrefour

Guérin littérature

166, rue Sainte-Catherine est
Montréal, Québec
H2X 1K9

Dépôt légal: 2e trimestre 1988
ISBN-2-7601-1998-X

Bibliothèque nationale du Québec
Bibliothèque nationale du Canada

IMPRIMÉ AU CANADA

Texte établi d'après l'émission

«Les Belles Heures»

de Radio-Canada

À Christiane Neave
secrétaire générale
de la Société des Amis
d'Alexandre Dumas
et merveilleuse animatrice
du château de Monte-Cristo
à Port-Marly

INTRODUCTION

Comment est né ce texte

Il y a quelques mois (en mars 1987), j'assistais avec des amis à la première de *Florence* de Marcel Dubé, au théâtre Denise-Pelletier. La première? Entendons-nous, après trente ans. C'était hier à peine, et Marcel avait vingt-sept ans à cette époque. Il y avait là, au foyer, une brochette, une pléiade d'écrivains et de critiques de ma génération qui poursuivaient les propos laissés en plan lors d'autres premières. Marcel y était. Et comme d'habitude, il était un peu torturé, un peu ulcéré: comment ce public ancien et ce public nouveau accueilleraient-ils cette pièce ancienne servie à la moderne par Lorraine Pintal. Quant à Yves, le frère de l'autre, il papillonnait d'un groupe à l'autre; comme Atlas, il soutenait le ciel théâtral et littéraire sur ses larges épaules. N'était-il pas l'organisateur littéraire de ce renouveau? Il avait fait appel à Jean-Cléo Godin pour tracer dans un article bien tourné (*Vers un théâtre national*) le portrait, je dirais la fresque, de ce que fut la dramaturgie québécoise des années trente à nos jours, avec Robert Gurik, Renée Noiseux, Jean-Robert Rémillard et combien d'autres dont je tairai les noms afin de ménager leur susceptibilité. Pudeur oblige! La vieille garde, comme la jeune d'ailleurs, se retrouvait. Les propos? Les mêmes sans doute étaient repris là où ils avaient été laissés à la Comédie canadienne, à l'époque du *Retour des oies blanches* «Au pays du Québec, rien... écrivait Hémon...» À vous de compléter cette «sentence»... s'entend! ou sentant!

À l'entracte, qui je rencontre? Un ancien confrère de collège, André Hamelin. Il faut noter, au passage, que le collège Saint-Laurent et le collège Sainte-Marie ont été des réservoirs d'un dynamisme incroyable en ce qui a trait aux arts: radio, cinéma, télévision, écriture... et j'ajouterais la politique, si l'on peut encore classer ce genre «cynique» dans les arts. Ainsi André, qui n'a pas vieilli d'un iota, qui a toujours le regard vif et narquois, me demande ce que j'ai accompli depuis les années où je collaborais à l'*Heure de pointe* sous les ordres de Michel Desrochers et de Dominique Payette, au temps où nous nous rencontrions de temps à autre dans les corridors de Radio-Canada.

À cette époque, ma chronique littéraire du lundi n'avait pas «l'exceptionnelle envergure» de celle de Claude Jasmin (il m'en voudra), ni «l'illustre pompe» de celle de Bernard Pivot... Dieu merci. Non, non! C'était une chronique toute simple, bon garçon, quoi! destinée à donner le goût de la lecture. Elle ne défendait pas, cette humble chronique du lundi (Sainte-Beuve se retourne dans sa tombe), pour reprendre l'expression de Péguy, «les aspirations des clans». Elle ne prônait pas une idéologie particulière, originale et avant-gardiste; bref, elle n'était pas le «diktat» de ce qui devrait se lire si l'on ne voulait pas être classé parmi les minables crétins... etc. J'étais à la fois bon public et bon lecteur, rien de plus. C'est ce dont nous nous entretenions brièvement André et moi-même, lorsque les trois coups nous ramenèrent chez *Florence*. «Et dans quel domaine littéraire oeuvres-tu?»

— «J'ai toujours eu une certaine tendance encyclopédique, lui dis-je, et je m'intéresse aux ouvrages de masse, que l'on qualifie dédaigneusement de paralittéraires... ou de genres mineurs. L'on pourrait allonger la liste des qualificatifs *ad nauseam*, ça ne changerait rien au fait que je m'intéresse à Dumas, Ponson du Terrail, Sue et combien d'autres chez qui nos écrivains canadiens-français du XIXe siècle ont trouvé des «maîtres», malgré la censure cléricale de l'époque.» Ces dernières paroles se perdirent dans le brouhaha du retour à nos fauteuils.

Quelques semaines plus tard, André Hamelin me demandait si, par hasard, je ne serais pas intéressé à entretenir ses auditeurs, durant dix minutes (et six fois) d'Alexandre Dumas? Je venais de terminer un gros ouvrage sur cet auteur, ouvrage qui dormait chez mon éditeur; ouvrage qui m'avait forcé à faire en 1978 le tour de la terre à moto sur les pas de ce phénomène, de cette force de la nature qu'est Dumas, et plus récemment à consacrer plusieurs mois à tourner des vidéos sur les lieux historiques des romans dumasiens... Avais-je vraiment envie de parler de Dumas? «Laisse-moi réfléchir, lui dis-je, et je te rappellerai.»

Voilà! Soixante minutes avec Dumas, en tranches de dix, et ne couvrant, dans la mesure du possible, que les éléments insolites de sa vie: les ancêtres; les débuts de sa dramaturgie; la recherche d'un père; les voyages; les amitiés; et enfin, un Dumas revu et corrigé par lui-même dans ses *Mémoires*; le tout puisé dans l'encrier de l'anecdote et même de la légende.

En gros, un Dumas que l'on aimerait inviter chez soi l'un de ces soirs où l'action de tous ces téléromans-savon piétine et manque d'imagination tellement ils sont faits pour tout le monde et pour personne à la fois. Dumas? C'est l'adolescence retrouvée.

I

LES ANCÊTRES: DES ÊTRES CURIEUX

Pour bien comprendre le cheminement de cette famille curieuse, c'est-à-dire celle d'Alexandre Dumas père (ou «du Mas»), il faut savoir que le romancier est précédé de trois Alexandre. En somme, si nous faisons le compte avec le dernier des Dumas (le dramaturge), qui meurt en 1895, il y a en tout et pour tout cinq Alexandre.

André Maurois publiait vers l'année 1957 un ouvrage intitulé *Les Trois Dumas*. Pour être juste, si l'on se rapporte à l'histoire et aux archives, il faudrait dire: «Les Cinq Davy de La Pailleterie».

Ainsi, Alexandre (père) le romancier et Alexandre (fils) le dramaturge sont les descendants d'Alexandre Davy né en 1674, époux de Jeanne-Françoise Paultre. Cette dernière décède en 1757. Ce couple donne naissance à trois garçons: Louis-François, Charles-Anne-Édouard et Alexandre-Antoine, l'aîné. Ce dernier «épouse» (entre guillemets) une esclave de Saint-Domingue (aujourd'hui Haïti), dont il aura quatre ou six enfants. L'un de ces négrillons, Thomas-Alexandre deviendra général sous le Consulat. C'est aussi celui-là qui sera le père de l'auteur des *Trois Mousquetaires*.

Avant d'aller plus loin dans nos propos, il faut signaler qu'il y avait deux branches chez les Davy de la Pailleterie. L'on peut retracer l'histoire de cette famille, assez fidèlement, jusqu'à la guerre de Cent Ans (1337-1453). Pourquoi doit-on connaître tout ceci? C'est que les deux branches des ancêtres du romancier furent mêlées à diverses occasions à l'histoire de France. Le romancier, parfaitement au

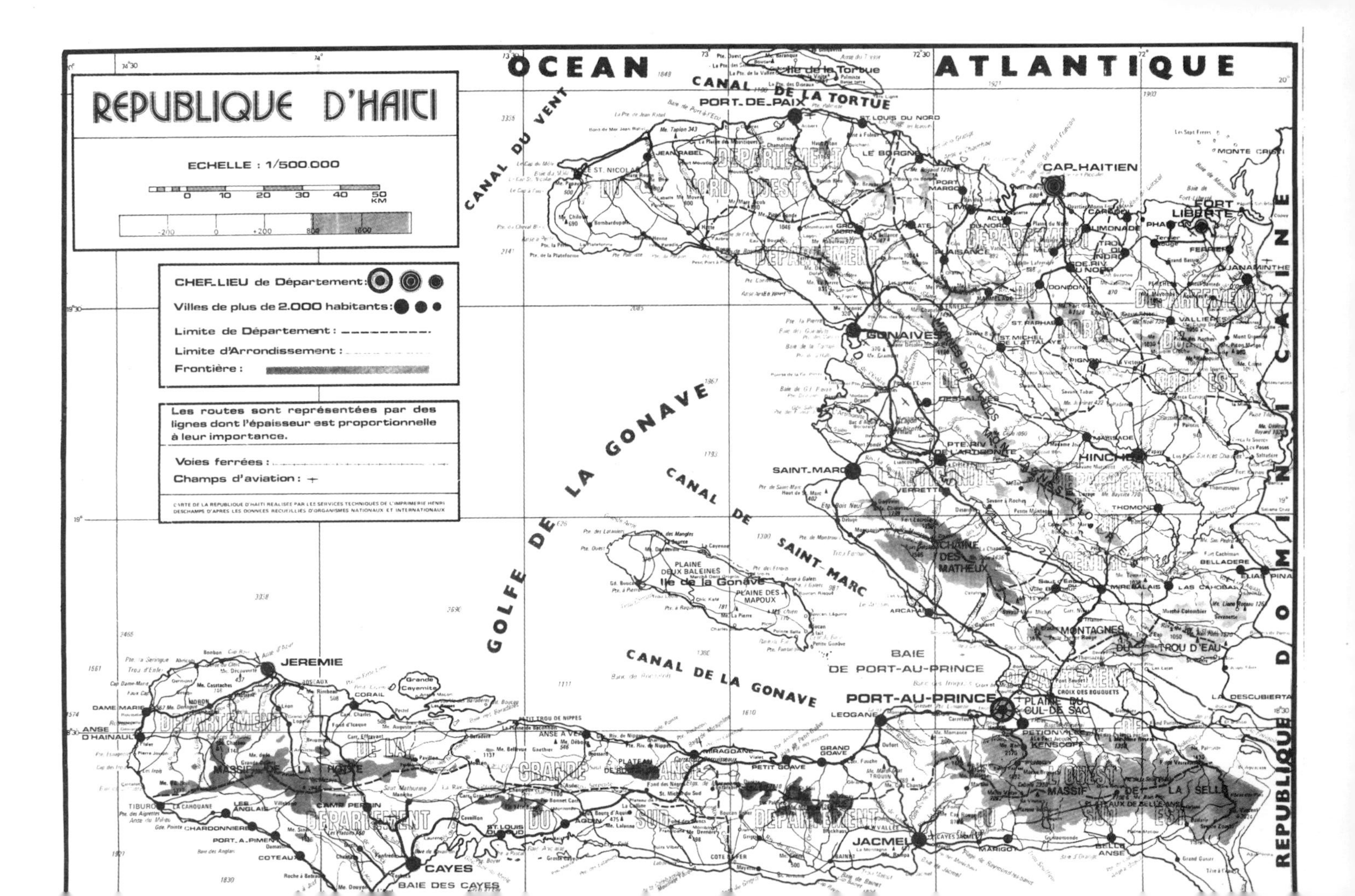
REPUBLIQUE D'HAITI
ECHELLE : 1/500.000
0 10 20 30 40 50 KM
-200 0 +200 800 1600
CHEF-LIEU de Département :
Villes de plus de 2.000 habitants :
Limite de Département :
Limite d'Arrondissement :
Frontière :
Les routes sont représentées par des lignes dont l'épaisseur est proportionnelle à leur importance.
Voies ferrées :
Champs d'aviation :
CARTE DE LA REPUBLIQUE D'HAITI REALISEE PAR LES SERVICES TECHNIQUES DE L'IMPRIMERIE HENRI DESCHAMPS D'APRES LES DONNEES RECUEILLIES D'ORGANISMES NATIONAUX ET INTERNATIONAUX
OCEAN ATLANTIQUE
CANAL DE LA TORTUE
Ile de la Tortue
CANAL DU VENT
PORT-DE-PAIX
ST. LOUIS DU NORD
LE BORGNE
CAP-HAITIEN
FORT LIBERTE
OUANAMINTHE
MONTE CRISTI
JEAN RABEL
ST. NICOLAS
PORT MARGOT
LIMBE
PLAISANCE
ACUL DU NORD
LIMONADE
TROU DU NORD
GRANDE RIVIERE DU NORD
DONDON
GONAIVES
ST. RAPHAEL
ST. MICHEL DE L'ATTALAYE
PIGNON
VALLIERES
MORNES DES CAHOS
GOLFE DE LA GONAVE
CANAL DE SAINT-MARC
SAINT-MARC
PTE RIV. DE L'ARTIBONITE
VERRETTES
HINCHE
THOMOND
CHAINE DES MATHEUX
Ile de la Gonâve
PLAINE DEUX BALEINES
PLAINE DES MAPOUX
ARCAHAIE
MIREBALAIS
LAS CAHOBAS
BELLADERE
ELIAS PINA
MONTAGNES DU TROU D'EAU
BAIE DE PORT-AU-PRINCE
CANAL DE LA GONAVE
PORT-AU-PRINCE
PLAINE DU CUL-DE-SAC
CROIX DES BOUQUETS
LA DESCUBIERTA
LEOGANE
PETIONVILLE
KENSCOFF
MASSIF DE LA SELLE
GRAND GOAVE
PETIT GOAVE
MIRAGOANE
ANSE A VEAU
PETIT TROU DE NIPPES
PLATEAU DE ROCHELOIS
JACMEL
MARIGOT
BELLE ANSE
COTE DE FER
AQUIN
ST. LOUIS DU SUD
CAYES
BAIE DES CAYES
JEREMIE
CORAIL
Grande Cayemite
DAME MARIE
ANSE D'HAINAULT
MASSIF DE LA HOTTE
CAMP PERRIN
LES ANGLAIS
TIBURON
CHARDONNIERE
PORT A PIMENT
COTEAUX
REPUBLIQUE DOMINICAINE

courant de ceci, utilisera certaines de ces anecdotes, de ces légendes familiales et ancestrales pour alimenter et étoffer ses romans soit: *Le Vicomte de Bragelonne*, *Les Filles du Régent*, *Le Chevalier d'Harmental* et *La Conspiration de Cellamare*, *Le Comte de Monte-Cristo*, *Georges*, etc.

Revenons aux trois fils du «marquis» de La Pailleterie de la branche aînée, à laquelle appartient en droite ligne le romancier. Louis-François, après avoir servi dans l'armée du roi et s'être illustré à Prague, à Fontenoy, à Raucoux, à Maëstricht, puis durant la guerre de Sept Ans, meurt sans descendance en 1773. Louis-François avait épousé une veuve, Anne-Françoise du Cestre qui avait, de son premier époux, hérité d'une sucrerie, à Saint-Domingue (Haïti). Ceci donne l'idée à son frère Charles-Anne, né en 1716, de s'engager dans l'armée coloniale et d'aller à peu de frais tenter fortune à Saint-Domingue. Il faut noter immédiatement que cette famille de La Pailleterie est à peu près ruinée. Peu de temps après son arrivée à Saint-Domingue, Charles rencontre Marie-Anne Tuffé, une riche héritière de Fort-Dauphin (Fort-Liberté). Il l'épouse, et se fait colon. En 1753, Charles veut se refaire une santé. Il rentre en France et s'installe à Bielleville dans le château ancestral. Il se lance dans le commerce du sucre avec le nord de Saint-Domingue, et tout particulièrement avec sa propre sucrerie qu'il a laissée à la garde d'un régisseur de confiance. Éclate alors en 1756 la guerre entre la France et l'Angleterre. Charles ne saurait attendre la fin de cette guerre (1763). Il s'allie à des Anglais de New York et fait partir ses cargaisons depuis la partie espagnole de l'île, Monte-Cristi, sous pavillon anglais. Malgré cette guerre, son négoce se poursuit tant bien que mal. Il lui

Toussaint-Louverture

vient alors à l'esprit que la traite des esclaves depuis la Guinée pourrait lui être profitable. Toutefois cette dernière entreprise n'est pas des plus heureuses. Ses gens le trahissent. Il perd beaucoup d'argent. Le traité de Paris est signé. Charles repart pour Saint-Domingue en 1771. Il veut mettre de l'ordre dans ses affaires, qui périclitent. Sur le point de quitter Fort-Dauphin, il meurt en 1773. Avant de mourir, Charles libère sa négresse, Geneviève, ainsi que le fils de cette dernière, un certain Alexandre. La succession liquidée, la valeur de la sucrerie et autres biens meubles (entendons les esclaves) épongent à peine les énormes dettes qu'il avait contractées avec la Compagnie des Indes. Enfin, les héritiers de Charles, prudents, n'acceptent cette succession que sous inventaire des biens.

Qu'en est-il de l'aîné de cette branche de La Pailleterie? En effet Alexandre-Antoine, né en 1714, est sans fortune, comme ses deux frères cadets. Il se fait militaire. On le retrouve au siège de Philipsbourg en 1734. Après la paix de Vienne, il rejoint son frère Charles à Saint-Domingue. Il partage le logis de Charles à Fort-Dauphin pendant plus de dix ans. Les esclaves et les serviteurs peuvent assister quotidiennement aux scènes les plus orageuses entre les deux frères, scènes provoquées par les débauches d'Alexandre-Antoine.

En 1748, Alexandre-Antoine disparaît mystérieusement avec une esclave, Catin, et quelques esclaves marrons. Charles part à sa poursuite. On le croit mort, et pourtant il vit calmement à Jérémie, sur la côte sud-ouest, à quelques kilomètres de la ville, près de la rivière Guinaudée, qui coule entre la rivière de la Grande Anse et la rivière de la Voldrogne, toutes les trois se jetant dans le golfe de la Gonave.

Vers Jérémie (Haïti)

Il y a quelques années, par souci d'authenticité dans nos recherches, nous décidions d'aller sur les pas des ancêtres de Dumas. Après avoir emprunté les services d'une société poisseuse qui exploite depuis quelques années les Haïtiens en mal de revoir leur pays, nous nous sommes retrouvé à Port-au-Prince. Il faut signaler immédiatement que le général Dumas est en quelque sorte un héros national de l'histoire haïtienne, comme le déclare Roberto Wilson dans son ouvrage sur le général; là-dessus, toutefois, ses sentiments ne sont pas partagés par tous les historiens. Certains gardent toujours en mémoire que c'est à cause de Napoléon que Toussaint-Louverture termina ses jours en prison; et que le général Dumas, ce mulâtre, né à Jérémie d'une femme-caille et d'un colon français, a épousé la cause des révolutionnaires français qui n'eurent aucun ménagement pour cette pauvre Haïti devenue indépendante par la force des armes.

Ayant loué une jeep, et accompagné d'un guide, nous nous dirigeons sur Léogane et sur Les Cayes dans le département du Sud. En août et en septembre 1986, il subsistait encore quelques postes de garde ou de contrôle dont les soldats, mitrailleuse en bandoulière, effectuaient ici et là des relevés sur les déplacements de la population. Jusqu'aux Cayes, la route est fort bonne et agréable. Au carrefour des routes qui mènent aux Cayes, à Torbeck et à Camp-Perrin, nous rencontrons un autre poste où il faut négocier plus sérieusement la poursuite de notre voyage exploratoire vers Jérémie. Que signifie cette enquête sur le général Dumas? Est-il encore vivant? Est-il l'un de ces tontons? Et cet équipement audio-visuel, ça vaut cher? Après vérification du passeport et du visa ainsi que des lettres officielles de recom-

mandation et après avoir assuré ces nerveux de la gâchette que ce général Dumas était décédé en France en 1806, donc qu'il n'avait rien à voir avec le régime de Duvalier, l'on nous lance: «Allez et soyez prudent.»

Le long de la Ravine du Sud, l'on remonte à Fonfrède, Mersan et Camp-Perrin. Le long du parcours, on note que l'agriculture est raisonnablement bonne dans cette plaine parsemée de petits hameaux et irriguée par de gros canaux de surface. C'est à Camp-Perrin que l'on entame la traversée du massif de la Hotte dont les sommets s'élèvent à plus de 2 400 mètres. Avec notre jeep russe dont les pneus sont archirapiécés et dont la mécanique a subi «des ans tous les affronts», l'on ne peut filer qu'à plus de dix ou quinze kilomètres à l'heure. À tout moment, à l'entournure d'un lacet, nous sommes doublés ou nous rencontrons des véhicules tout terrain et climatisés, s'il vous plaît, des missionnaires américains qui nous lancent joyeusement du haut de leur religieux confort: «Bye-bye niggers, bye now!» Il faut dire que nous étions, le guide et moi-même, couverts de sueur et de poussière. À cette vitesse, par ailleurs, l'on a le temps d'apprécier la luxuriance de la végétation, à travers ce paysage volcanique criblé de roches basaltiques. Dix heures plus tard, et dans la nuit, nous atteignons Roseaux après le village Beaumont. Il nous faudra encore passer à gué les rivières Roseaux, de la Voldrogne et de la Guinaudée.

«Des rivières de quelques mètres de largeur» écrivait un biographe français de Dumas. Nous aurions voulu que cet «auteur-voyageur-sur-carte» vienne pousser la jeep qui s'était enfoncée dans un mètre cinquante en traversant l'un de ces «petits» ruisseaux de trois cents mètres de largeur. Encore quelques ruisseaux à traverser, car il pleut, puis l'on

emprunte un pont du XIXe siècle pour franchir la rivière de la Grande Anse. Dans la nuit, nous entrevoyons les lumières de Jérémie. Nous y sommes presque lorsque, dans un détour, nous avons une autre crevaison (la dixième, depuis Les Cayes). Plus rien ne va! Le cric, qui datait de l'invention des premières voitures, lâche. Mon guide s'énerve. Il a peur! Il allègue que la forêt est infestée de fuyards, d'anciens tontons. Je réussis à le convaincre au moins de tenir la torche, pendant que j'abats un arbre. Ah! le bon vieil Archimède. J'avais à peine fini de mettre en place un levier qu'un autobus «tap tap» arrive sur les lieux. Tout le monde descend. On discute très très fort, et la solidarité haïtienne gagne l'ensemble. En dix minutes, la roue de secours est en place. On s'embrasse après ce travail «ampile», et nous traversons les rues sombres de Jérémie pour nous loger à la Cabane de Mme Antoine Jean, à trois pas, dans la montagne, de l'hôtel des Trois Dumas. Tôt le matin, nous quittons Mme Jean, pour explorer ce qui fut le berceau du général Dumas, Jérémie et la Guinaudée.

Nous avons signalé plus haut qu'Antoine s'était enfui de l'Habitation de son frère Charles, «pour éviter le pire» d'après ses biographes. Il semble bien que la belle créole, Marie Tuffé, épouse de Charles, n'avait pas ménagé ses faveurs à l'égard d'Antoine durant ces dix années 1738-1748. Il faut s'empresser d'ajouter qu'Antoine, nature généreuse, ne se privait guère d'accomplir quelques exploits du côté des belles esclaves. Charles se devait d'user de diplomatie, car Marie Tuffé avait amené en dot cette sucrerie. Elle avait en quelque sorte redoré le blason de ce «soldat de fortune» qu'était Charles de La Pailleterie. On peut aussi se demander si Anne-Charlotte, future

C'ESTAINSI

comtesse de Maulde, était la fille de Charles ou d'Antoine?

Bref, il existe tellement d'animosité entre les deux frère qu'Antoine s'en va, disparaît, se fait passer pour mort. Il vend Catin et ses propres esclaves, et s'installe près de la Guinaudée sous le nom d'Antoine Delisle. Il s'achète alors une femme-caille, Marie-Cessette, qui lui donne au moins quatre enfants: Thomas-Alexandre (1762), le futur général, Adolphe, Jeannette et Marie-Rose. Puis, lors d'un épidémie qui s'abat sur Jérémie en 1772, Marie-Cessette meurt. À peu près à la même époque, l'Habitation est détruite par un cyclone. Ruiné, Antoine Delisle se voit dans l'obligation de vendre ce qui lui reste de propriété ainsi que ses enfants afin de payer son retour en France en 1775. Toutefois, il s'était réservé un droit de rachat de cinq ans sur son fils Thomas-Alexandre.

Antoine Delisle débarque au Havre le 4 décembre 1775, se fait reconnaître par l'abbé Bourgeois de Bielleville, ainsi que par sa nièce (peut-être sa fille), la comtesse de Maulde, et il devient alors le dernier des marquis de La Pailleterie. Il serait bien long, croyons-nous, d'expliquer ici comment les terres de la famille Davy furent érigées en marquisat.

Ce retour d'Antoine, pour le moins étonnant, vient ajouter une certaine confusion à l'embrouillamini de la succession extrêmement complexe de cette famille normande. Les emprunts, les dettes diverses, les titres de propriété non homologués, les décès à l'étranger; bref tout ceci faisait dire à l'époque que cette famille était un ramassis de roublards et de vieux malins.

Puis en novembre 1776 (certains notent en août), apparaît dans le décor Thomas-Alexandre Retoré dit Dumas-Davy. Comment ce mulâtre, qui se déclare le fils du marquis, a-t-il atteint la France? Serait-il venu en tant qu'esclave d'un officier français, Jacques-Louis Roussel? Ces allégations ne sont pas prouvées. D'autre part, il n'existe pas de documents démontrant clairement que son père le marquis l'aurait racheté d'un colon à qui il l'avait vendu l'année précédente. Antoine néanmoins le reconnaît officiellement en tant que son fils né à Jérémie de Marie-Cessette, sa femme-caille. D'ailleurs, à Lisieux, des documents publics en font foi.

Plus tard la veuve du marquis reconnaîtra aussi cette filiation. Antoine s'empresse, de son côté, de liquider son château de Bielleville contre une forte somme et une rente annuelle. Il s'installe un moment à Lisieux avec son fils, puis s'établit définitivement à Saint-Germain-en-Laye. Le père et le fils font la noce. Après quelques années de cette fête, Thomas-Alexandre finit par inquiéter son père. Les duels, les bagarres, les aventures diverses se multiplient. Le romancier saura d'ailleurs enjoliver, à travers ses *Mémoires*, les aventures de son père, le futur général. En février 1786, le vieil Antoine, toujours Vert Galant malgré ses soixante-dix ans, s'éprend d'une jeune femme, Marie-Françoise-Élisabeth Retou. Elle n'a que trente-trois ans. Antoine l'épouse, et quatre mois plus tard il meurt d'apoplexie. Entre-temps, contre la volonté de son père, Thomas-Alexandre s'engage au deuxième escadron des Dragons de la Reine, sous le nom de Dumas. Antoine décédé, belle-mère et beau-fils traînent leurs différends devant les tribunaux, en ce qui a trait à la succession. Ayant touché les indemnités qu'elle réclame, Marie Retou se retire de la succession et Thomas-Alexandre retourne à son escadron.

La veille de la Révolution française, les Dragons de

Louise Labouret, mère d'Alexandre Dumas

la Reine sont cantonnés à Villers-Cotterêts. Les soldats sont accueillis dans les diverses familles et les Labouret, comme les autres, reçoivent le «dragon» Dumas. Marie-Louise s'éprend du beau mulâtre. Toutefois, selon les désirs du père Claude Labouret, Dumas ne pourra épouser Marie-Louise que lorsqu'il sera promu brigadier. Dumas va donc combattre au Tyrol et, en quelques mois, il est promu successivement brigadier, maréchal des logis, lieutenant, puis lieutenant-colonel. Le 28 novembre 1792, il est de retour à Villers-Cotterêts afin d'épouser Marie-Louise. Il retourne ensuite au front. Grâce à ses actes de bravoure sur les frontières, Dumas est nommé général de brigade en juillet 1793. En septembre de la même année, il commande l'armée des Pyrénées. On l'envoie à Bayonne, en Vendée, puis dans les Alpes, en 1794, où il commande l'armée. À la fin de cette année, il est général en chef de toute l'armée de l'Ouest. De tels efforts ne sont pas sans affecter sa santé. En décembre 1794, il obtient un congé afin d'aller se reposer à Villers-Cotterêts. En 1795, il est à nouveau en campagne, cette fois à la tête de l'armée du Haut-Rhin, puis il passe à l'armée d'Italie en 1796. Pendant ce temps Marie-Louise donne naissance à Marie-Alexandre (1793), qui vivra jusqu'en 1881, puis à Louise-Alexandrine (1796), qui décédera l'année suivante.

C'est en invoquant les déclarations de la Révolution française: «Liberté, Égalité et Fraternité» que les esclaves de Saint-Domingue se soulèvent sous la direction de Toussaint-Louverture. Cette ancienne colonie française, en prenant le nom d'Haïti, devient la première république noire du monde. Il faut alors se demander si, depuis ses champs de bataille, le général Dumas était au courant de ce qui se passait exactement dans son ancienne patrie?

Le général Dumas, père du romancier

Après Mantoue, où Dumas s'illustre contre les Autrichiens (1797), il doit, sur les ordres de Bonaparte, rejoindre l'armée de Masséna. Suivent les batailles de Brixen, Garigliano, Weiss, Segonzano, Neumarkt, Claussen et autres lieux, où Dumas continue à se tailler une réputation de «Diable noir» (*Schwarze Teufel*) ou « d'Horatius Cocles».

Malgré l'inimitié qu'il lui porte depuis Mantoue, Bonaparte le nomme gouverneur de Trévisan et de Rovigo. En octobre 1797, c'est la victoire de Campoformio. Après quelques jours de repos dans sa famille, Dumas repart avec Bonaparte pour la campagne d'Égypte. C'est à cette époque que Dumas constate que tous les acquis de la Révolution se gâtent. Que les intérêts de Bonaparte débouchent sur une autre forme d'esclavage. Dumas démissionne. Il prendra sa retraite à Villers-Cotterêts. Mais, lors de la traversée, il est fait prisonnier par les Italiens. La France refuse de payer sa rançon. Il passe de prison en prison (entre Naples et Brindisi). En 1978, nous avons visité plusieurs lieux de ses détentions. À Brindisi, il sera assez maltraité. L'on tentera même de l'empoisonner. Et, finalement, il sera échangé contre le général Mack, un Autrichien. La captivité de Dumas va de mars 1799 à avril 1801.

À peine entré en France — nous sommes à l'époque du Consulat (1799-1804) — Dumas est mis à la retraite par Bonaparte. Ce dernier refuse que l'État lui verse des émoluments pour ces années passées en prison et même ses appointements de retraite. Le 24 juillet 1802 naît Alexandre, le futur romancier.

Ainsi, la carrière du général Dumas se termine sous le Consulat, avant que Bonaparte ne devienne empereur des Français. C'est pour cette raison que l'on ne retrouve pas à Versailles le portrait de Dumas parmi les autres généraux de l'Empire. Toutefois son nom est gravé sur l'arc de triomphe.

Installé à Villers-Cotterêts, le général à la retraite entretient une correspondance avec ses anciens compagnons d'armes et se livre à la chasse dans les bois adjacents. Sa santé se détériore rapidement et il est emporté par un cancer le 26 février 1806, à 44 ans.

II

DRAMATURGE
PAR ACCIDENT OU
PAR VOCATION?

«Ce siècle avait deux ans» lorsque Dumas naît. L'expression est de Victor Hugo au sujet de sa propre naissance, mais elle s'applique aussi à Dumas. Par ailleurs, l'on ne se rendra compte de l'importance de cette naissance qu'en 1872. En effet, Dumas meurt à Dieppe le 5 décembre 1870 alors que la France est occupée par les Prussiens et que Napoléon III est défait à Sedan. Hugo n'a pu se rendre aux funérailles, non plus qu'à la translation des restes à Villers-Cotterêts de cet ami de toujours. Hugo écrit donc au fils de Dumas, le 15 avril 1872, afin de lui donner les raisons de cette double défection. En 1870 Hugo, on le sait, est proscrit; en 1872, il est auprès d'un enfant malade et il poursuit ses explications en ces termes:

> *«Ce que j'aurais voulu dire, laissez-moi vous l'écrire. Aucune popularité en ce siècle n'a dépassé celle d'Alexandre Dumas; ses succès sont mieux que des succès, ce sont des triomphes; ils ont l'éclat de la fanfare. Le nom d'Alexandre Dumas est plus que français, il est européen; il est plus qu'européen, il est universel. Son théâtre a été affiché dans le monde entier; ses romans ont été traduits dans toutes les langues. Alexandre Dumas est un de ces hommes qu'on peut appeler semeurs de civilisation... il séduit, fascine, intéresse, amuse, enseigne.» (15 avril 1872)*

Toujours selon Hugo, il y a trois grands écrivains au 19e siècle: Balzac, Dumas et Hugo lui-même.

Reportons-nous au début de ce «siècle qui n'a que deux ans», alors que le général Dumas à la retraite

Église où fut baptisé Alexandre Dumas à Villers-Cotterêts.

forcée, annonce à son ami le général Brune qu'il vient de lui naître un fils de plus de dix livres et de dix-huit pouces de long; il conclut sa missive en déclarant tout net:

> *«Le gaillard vient de pisser par-dessus sa tête. C'est de bon augure.»* (Mémoires *de Dumas)*

Le général Dumas n'aura certes pas le loisir de s'inquiéter de l'avenir de ce fils qui, dès sa tendre enfance et sa jeunesse, sera surtout intéressé à faire l'école buissonnière, à flâner, à courir les bois environnants de Villers-Cotterêts et à séduire, selon les recettes du Chevalier de Faublas, quelques filles ou femmes mariées des environs. L'on ne saurait ici énumérer la liste complète de ses exploits: Aglaé, future Mme Hanniquet; Julie Dambrun; puis, prétendument, Éléonore Lebaigues, fille de son cousin Jean-Michel Deviolaine, etc. En somme, Dumas étudie un peu de latin, un peu d'histoire naturelle. Il sera avant tout un autodidacte. Grâce à des amis, il saura acquérir, lui qui est né sans fortune, un savoir et une culture équivalents à ce qu'avaient les bourgeois et les aristocrates de son siècle, nés dans des conditions économiques et sociales exceptionnelles. Bref, le vernis des privilégiés. Néanmoins, à Villers-Cotterêts tout se sait, et ses aventures avec des femmes mariées lui créent des ennuis. Sa mère ne sait plus que faire de son grand fainéant de fils qu'elle adore. Elle ne sait plus à quelle porte frapper afin de lui décrocher une «situation».

En 1820, il rencontre Adolphe Ribbing de Leuven qui loge au château de Jacques Collard à Villers-Hélon. Adolphe est le fils du célèbre Adolphe-Louis comte Ribbing, régicide semble-t-il, et exilé en France après avoir participé avec le comte Horn et Ancar-

TABAC

ström à l'assassinat de Gustave III de Suède en 1792. Comme Gustave III était le neveu de Frédéric II de Prusse, ceci valut au comte d'être aussi condamné par la justice prussienne. S'ajoute à la gloire du père d'Adolphe d'avoir été l'amant de Mme de Staël. Enfin, pour compléter le portrait si peu traditionnel du comte Adolphe-Louis, ajoutons qu'il est également réclamé par la police des Pays-Bas à cause de ses écrits trop libéraux. Bref, le fils d'un tel père avait tout pour faire rêver le fils du glorieux général Dumas. Or, Adolphe de Leuven ne vivait que pour le théâtre; de plus, il avait ses entrées chez les comédiens et comédiennes de Paris. C'est Adolphe qui initie le jeune Dumas aux secrets de la scène. Ils écrivent en collaboration quelques textes dramatiques: *Le Dîner d'amis, Les Abencérages, Le Major de Strasbourg, La Chasse et l'Amour, La Noce et l'Enterrement*.

Pour diverses raisons ces vaudevilles sont refusés. Dumas ne saurait se tenir pour battu. Il se rend à Paris. il rencontre le grand Talma. Cette entrevue, pour tout dire «ce baptême» du 4 novembre 1822, fut relaté à peu près par tous les biographes de Dumas. Avouant humblement à Talma qu'il désirait vivement être un poète et un dramaturge mais que ses espoirs sont hypothéqués du fait qu'il n'est qu'un clerc de notaire, il se fait répondre par le grand tragédien que cela n'est pas de mauvais augure car Corneille n'était que clerc de procureur. Et du même souffle, lui posant les mains sur la tête, Talma le sacre poète au nom de Shakespeare, de Corneille et de Schiller.

De retour à Villers-Cotterêts, Dumas fait du théâtre dans une troupe villageoise. Il joue le rôle de Don Ramire dans *Hadrian Barberousse*. Il a désormais la piqûre du théâtre. Son seul espoir: retourner à Paris.

Louis-Philippe Ier

Grâce à Deviolaine et à quelques amis de feu son père, il devient surnuméraire auprès du duc d'Orléans. L'un de ses collègues de bureau lui dresse un programme incroyable de lectures: les anciens, les classiques, les modernes tant français qu'étrangers. Dumas passera ses nuits et ses week-ends à étudier l'histoire et les littératures. En quelques mois, il accomplit ses humanités. Toute sa vie, conscient de ses nombreuses lacunes scolaires, il tentera âprement de parfaire ses connaissances dans les domaines les plus divers. Avec Leuven et de nouveaux amis, il fréquente les théâtres et ceux qui en pratiquent l'écriture. Il apprend à connaître et à comprendre les lois du genre. Son travail auprès du duc d'Orléans est apprécié. Il mérite même une augmentation de vingt-cinq francs par mois. Ces milliers de francs sont trop minces. Il doit subvenir aux besoins de sa mère et de sa maîtresse. Il ose à peine avouer à sa mère récemment débarquée à Paris que sa maîtresse Laure Labay attend le fruit de ses oeuvres.

Le Tout-Paris romantique des années 1827-1829 vibre aux exploits de lord Byron. Dumas fréquente les Nodier à l'Arsenal. Il fait la connaissance de Victor Hugo, de Lamartine et de Musset. Dumas veut dépasser Chateaubriand. En cette veille de la Révolution de Juillet, Dumas, qui a déjà fait paraître quelques vers, fréquente les conférences publiques. Il y rencontre Mathieu Villenave et surtout sa fille, la poétesse Mélanie Waldor, épouse d'un lieutenant en garnison loin de Paris. Dumas, dit-on, flaire la mal-mariée. En quelques mois, il en fait sa seconde maîtresse. Voilà que Dumas doit partager son temps entre son travail (il sera sous peu bibliothécaire-adjoint), Mélanie, Laure, le petit Alexandre, sa mère et ses ambitions théâtrales. C'est aussi grâce à Mélanie que le cercle de ses amis s'élargit. Sur leurs conseils, il lit une *Biographie universelle.* Il y redécouvre des lieux connus, la Suède, grâce à son vieil ami Leuven. Ce qui attire son attention de dramaturge en devenir, c'est l'assassinat de Monaldeschi par la reine Christine en exil en Italie. De passage à Fontainebleau, c'est là que cette curieuse reine avait fait mettre fin aux jours de son bel Italien. À la même époque, plusieurs auteurs dramatiques portent à la scène avec plus ou moins de bonheur ce sujet éminemment romantique. À la mi-septembre 1827, Dumas se met au travail et la pièce ne sera portée à la scène de l'Odéon que le 30 mars 1830, non sans que Vigny et Hugo aient retouché sérieusement sa versification parfois boiteuse. Les excès de *Christine* n'arrivent pas à faire oublier le triomphe d'*Hernani* de Victor Hugo qui, un mois plus tôt, avait été un grand moment pour les jeunes romantiques. Toutefois l'année précédente, Dumas avait déjà fait jouer le premier grand texte romantique, *Henri III et sa Cour*, le 10 février 1829. Ainsi, strictement parlant, c'est à Dumas que revient l'honneur d'avoir fait triompher les théories romantiques énoncées dans la préface de *Cromwell* (1827).

Pour étoffer nos recherches, nous nous sommes mis sur la route de Christine de Suède (1626-1689), qui abdique en 1654 en faveur de son cousin Charles-Gustave X. Nous nous sommes rendu à Fontainebleau afin d'y admirer les lieux et surtout afin de nous pénétrer de l'atmosphère qui devait régner à la Galerie aux Cerfs, où s'était déroulé le drame à la mi-novembre 1657, sous la minorité de Louis XIV.

En scrutant les documents, nous nous sommes rendu compte que nous étions en présence de deux manières de décrire cet événement historique.

En 1834, Dumas se rendant dans le *Midi de la France* (c'est le titre de son récit) s'arrête à Fontainebleau. Il évoque pour la nième fois les derniers moments de Monaldeschi.

Ainsi en 1657, Christine a quitté Rome pour aller «reconquérir» son trône de Suède, car Charles-Gustave, son cousin, serait décédé. Dumas, pour les besoins de son récit, fait mourir Charles-Gustave trois ans plus tôt. Dans son drame, Dumas laisse entendre que Monaldeschi trahit ou trompe Christine, sa maîtresse, avec une autre femme, une certaine Paula déguisée en page. Ce n'est d'ailleurs pas la première fois que Dumas utilise ce stratagème dramatique. Il l'a mis à l'essai dans *Henri III*. Il y a chez Dumas un je ne sais quoi d'érotique attaché au travestissement. La vérité historique est plus prosaïque, moins romantique et surtout moins passionnelle. Monaldeschi trahit tout simplement la reine auprès des grands de Suède. Il y a aussi une certaine rivalité entre ces deux Italiens, conseillers de la reine, Sentinelli et Monaldeschi. Dumas conserve discrètement ce petit côté scabreux, c'est-à-dire sur ces amours ambiguës de Christine qui, après l'assassinat de son amant, s'empresse de se consoler auprès de cette malheureuse Paula. Dans *Henri III*, nous avions un «mignon». Dans *Christine*, Paula deviendra le péché mignon de la reine.

Voyons de plus près la chronologie réelle de ce récit: Descartes arrive à Stockholm à la fin de l'année 1649. Christine n'est pas encore couronnée, elle le sera le 30 octobre 1650, et Descartes mourra un mois plus tard. Dans son prologue, Dumas ne se soucie guère de la chronologie véritable. En 1651, Christine confie au Sénat suédois son désir d'abdiquer. Elle abdique ou le 2 mai ou le 6 juin 1654, à Upsala. Les

manuels ne s'entendent pas sur cette dernière date. Puis elle se rend à Rome. Durant le trajet, ou à Innsbrück ou à Bruxelles, elle se convertit au catholicisme. C'est à cette époque qu'elle rencontre Monaldeschi et Sentinelli. À la suite de cette conversion plutôt tapageuse, elle obtient du pape Alexandre VII, la permission de séjourner dans la Ville éternelle.

Le pape confie au cardinal Decio Azzolino le soin de freiner les extravagances de Christine. Qu'à cela ne tienne, elle en fait son amant, et elle repart pour Paris. À Fontainebleau, en 1657, elle fait assassiner Monaldeschi, prétextant punir une trahison. Elle tente ensuite de reconquérir son royaume. Elle échoue. C'est alors qu'elle termine ses jours à Rome en encourageant les arts, les lettres et les sciences. Elle meurt le 19 avril 1689.

Dumas conserve un certain nombre d'éléments qui ne choqueront pas au niveau de la vraisemblance historique. Il n'hésite pas à introduire dans une chronologie un peu particulière, la sienne quoi, des personnes comme Monaldeschi et Sentinelli qui n'auraient dû être signalées que plusieurs années plus tard dans la chronologie réelle du récit. Pour illustrer ces anachronismes historiques, reportons-nous au deuxième acte où la reine abdique à Upsala, tout en laissant croire à son amant Monaldeschi qu'il pourrait être un jour le prince consort. Au troisième acte, Christine rencontre Corneille à Fontainebleau. Ce dernier l'entretient de sa pièce *Cinna ou la clémence d'Auguste* (1641). Il faut noter que de toutes les tragédies de Corneille, Dumas sait choisir celle qui sied le mieux à la situation. Doit-elle pardonner à la manière de Cinna ou bien doit-elle sévir? Le quatrième acte consiste à donner plus de relief à la personnalité de Sentinelli; et le cinquième porte sur la mort de Monaldeschi. Enfin, Dumas épilogue sur la triste fin de la reine, à Rome, le 19 avril 1689, où elle repasse brièvement sa vie avant de rendre l'âme. À n'en pas douter, en traitant de cette manière sa *Christine*, Dumas voulait éviter les pièges qui avaient mené aux échecs successifs les autres Christines de ses contemporains. Néanmoins, le drame de Dumas ne pouvait effacer des mémoires le triomphe d'*Hernani*.

Dans la vie de la reine Christine bien des éléments durent enflammer l'esprit du jeune Dumas. N'était-elle pas polyglotte, philosophe, féministe, entourée d'amants, femme de guerre, juge implacable, amie des arts et des lettres? Bref, tout dans cette vie mouvementée était de nature à faire naître un drame romantique tel que préconisé dans la préface de *Cromwell* (1827). Il ne lui restait plus qu'à en faire un découpage à la fois plausible et énorme. Ce drame est un présage du roman historique dont il maîtrisera le genre jusqu'à la moitié du XIXe siècle.

Il devenait essentiel pour nous d'effectuer un pèlerinage sur les lieux du drame. Voir c'est croire, c'est aussi comprendre. Après Fontainebleau, nous dirigions nos pas sur Avon afin de rencontrer l'abbé Jean-Marie Petitétienne, curé de cette paroisse où les restes mortels de Monaldeschi se retrouvent sous les dalles au pied du bénitier. Petitétienne, qui s'intéresse à l'histoire et qui a déjà réalisé et produit un court métrage sur la mort du courtisan de Christine, nous fait visiter son église romane. Il nous présente avec fierté, les uns après les autres, ses «célèbres pensionnaires». Il fait dans chacun des cas la part de la légende et la part historique de leur vie intime. En ce qui a trait à Christine, Petitétienne insiste sur sa fin admirable, «une quasi-sainte», elle qui avait été si tapageuse dans ses amours avec Azzolino. À Stockholm et à Upsala nous constatons que la vie de la reine Christine est traitée en demi-teintes, pleines de nuances discrètes et surtout dans l'ombre de son père le célèbre roi guerrier, Gustave II Adolphe. Les manuels d'histoire de la Suède sont assez discrets sur les aventures de cette reine, et surtout sur sa conversion au catholicisme.

Il nous restait à jeter un dernier regard sur Rome. D'après les historiens, le séjour de Christine à Rome fut ni plus ni moins qu'une longue fête qui coûtait fort cher à l'Église. À cette époque, une aussi importante victoire sur le luthéranisme devait certes avoir un prix. Il faut aussi ajouter qu'Alexandre VII ne fut pas toujours heureux des initiatives osées de la reine de Suède. Néanmoins, à son décès, elle laisse à l'Église d'immenses trésors. Puis, son repentir sans doute sincère lui mérite un immense tombeau du côté droit de la basilique Saint-Pierre, derrière le premier pilier, à cinquante mètres de la célèbre Pieta. Plus un repos qu'un refuge bien mérité pour cette reine dont la vie avait été tellement mouvementée. Un repos, évidemment, car peu de pèlerins, notions-nous, sont attirés par ce tombeau gigantesquement rose.

Le sujet était assez corsé; la censure à craindre. Toutefois cette censure, nous sommes toujours sous Charles X, relâche la pièce. Après de nombreuses discussions avec la Comédie-Française, l'on accepte *Henri III et sa Cour* le 10 février 1829, et l'on reporte *Christine* aux calendes grecques.

Dans *Henri III et sa Cour*, l'action se passe au moment de la Saint-Barthélemy. Qui s'imposera à l'histoire? Le peuple? Catherine de Médicis, la reine mère? Ou Henri III? Mais il s'agit aussi d'une histoire de «mignons». La critique ridiculise le drame. Nullement décontenancés, Dumas et de Leuven, en collaboration avec Cavé et Langlé, lancent une parodie d'*Henri III* sous le titre: *La Cour du Roi Pétaud,* qui obtient un succès à tout rompre. D'autres parodies seront montées contre le texte de Dumas: *Cricri et ses mitiras*, puis *Le Duc de Frise ou le Mouchoir criminel*.

Ces deux drames tombent dans le goût des romantiques et, du jour au lendemain, Dumas est célèbre. Il fréquente le salon de Nodier. Il décroche une aide financière du banquier Lafitte. Il est nommé bibliothécaire adjoint chez le duc d'Orléans. Plus que quiconque, Dumas sait triompher non seulement à la scène mais également à la ville. Bref, ses conquêtes privées recevront un éclairage nouveau et surtout du public, grâce aux feux de la rampe. Mélanie Waldor est remplacée par Mélanie Serre (Belle Krelsamer) qui lui donne une fille en mars 1831. Dumas en profite pour reconnaître juridiquement sa paternité à l'endroit du petit Alexandre de Laure Labay. Louise Des Préaux est remplacée par la Malibran; Belle Krelsamer est remplacée à son tour par la «pulpeuse» Ida Ferrier, qui sera remplacée par Caroline Ungher, par Lola Montès, par Louise Pradier, par Isabelle Constant, par Anne Bauër, par Virginie Bourbier, par Françoise Gallard, par Marie Dorval, par Mlle Georges, par Marguerite V. Guidi-Garreau, par Émilie Cordier, par Fanny Gordoza, par Emma Manoury-Lacour, par Adah Issacs Menken et d'autres exercices passagers. La liste pourrait être beaucoup plus longue si nous voulions codifier les instantanéités.

La vie passionnée de Dumas a suscité de nombreuses anecdotes dont la suivante, rapportée par Alain Decaux. Dumas revient au foyer alors qu'il n'est pas attendu. Un vieil ami de Dumas, de Beauvoir, est au lit avec Ida. De Beauvoir, nu, se cache dans un placard. C'est l'hiver et il fait froid. Dumas s'installe auprès du feu afin de poursuivre son écriture. Il entend du bruit, il ouvre le placard et y trouve Roger de Beauvoir qui est mort de peur. «Assieds-toi là, lui dit-il, je réglerai ton cas lorsque j'aurai terminé cet article.» Puis Dumas va se coucher et il oublie de Beauvoir transi de froid. Soudain Dumas se souvient de cet ami «fidèle». Il l'invite alors à prendre place de l'autre côté d'Ida. «Je m'occuperai de toi demain matin», poursuit-il. Et Roger de Beauvoir ne sachant ce qui l'attend n'arrive pas à fermer l'oeil. Après un moment Dumas se retourne de son côté et lui déclare: «Roger, faisons comme les Romains à l'époque de l'antiquité, réconcilions-nous sur la place publique» et au-dessus d'Ida qui ne s'est pas éveillée, Dumas tend à Roger de Beauvoir sa grosse main amicale.

En résumé, si Dumas a beaucoup de collaboratrices à son oeuvre amoureuse et intéressée, il a encore plus de collaborateurs à son oeuvre théâtrale. Les besoins financiers occasionnés par les premières le forcent à se compromettre auprès des seconds. Les propriétaires et les directeurs de salles se rendent compte très rapidement que le nom de Dumas est rentable. C'est pourquoi ils n'hésitent pas à référer les jeunes «carcassiers» de la scène à Dumas, qui sait en une nuit donner à un texte médiocre le tour de main, l'heureuse «dramatisation», comme dans le cas de *La tour de Nesle* de Gaillardet, qui en fera un triomphe financier. Il est évident que ces collaborations attirent des ennuis à Dumas: duels, procès, polémiques dans les journaux et quoi encore. L'on pourrait ajouter aux noms de Gaillardet, de Maquet, de Bourgeois, de Mallefille, toute une kyrielle d'individus qui vinrent réclamer auprès de Dumas leur part de gloire et de notoriété.

Le nom de Dumas est si fameux que de jeunes auteurs, dont Jules Verne, viennent le consulter ou même lui offrir leur collaboration en proposant des sujets auxquels il ne manque que le génie d'«Alexis Noiret», comme le nomment les dénigreurs de cette «manufacture» d'écriture qu'il fut jusqu'au dernier moment de sa vie.

III

NAPOLÉON: UN SECOND PÈRE

Dumas n'a que quatre ans lorsque son père meurt de cancer, en 1806. Pourtant, à lire ses *Mémoires*, on a l'impression qu'il l'a connu durant de longues années. L'on serait porté à croire que le général s'est confié à lui tellement certaines circonstances intimes de sa vie y sont décrites dans les moindres détails. Le tout est apocryphe. Il faut reconnaître que Dumas refait, en les enjolivant, les faits et gestes de son père. Ses sources? Sa famille immédiate, ses oncles et ses tantes, ses cousins et surtout sa mère qui vouait à son époux, le général, un culte exceptionnel.

Dès sa plus tendre enfance, Dumas est marqué profondément par ce monde d'adultes. D'une part, du côté des femmes, cette influence se situe dans la prolongation même de l'univers de sa mère; d'autre part, du côté des hommes, ce sont les liens avec le passé «glorieux» du général qui sont privilégiés. Dans ce dernier cas, il n'est pas rare de voir Dumas déclarer à propos de tout ou de rien qu'un tel ou un tel fut pour lui plus qu'un père: il l'affirma à l'égard de son cousin Jean-Michel Deviolaine; de son patron immédiat, Manche de Broval; de son protecteur au Théâtre-Français, le baron Taylor; de celui qui aurait dû être son parrain, le général Brune; et même à l'égard du duc Louis-Philippe d'Orléans. Ainsi pourrions-nous multiplier les exemples, et les noms, les situations de gens qui influèrent sur l'enfance, l'adolescence et la jeunesse en général de cet auteur dramatique.

Par ailleurs, le lecteur moderne et l'historien de la littérature demeurent perplexes en ce qui a trait au culte que Dumas voue à Napoléon Bonaparte. En

Napoléon après Waterloo

effet, lors d'une de ces soirées «littéraires» chez Nodier, Dumas n'hésite pas, par exemple, à narrer à sa manière la bataille de la Moskova (Borodino, le 7 septembre 1812). Au maréchal Davout, prince d'Eckmühl, qui aux côtés de Murat, Ney et Poniatowski, avait effectivement participé à ce combat pour défaire Koutouzov, et qui met en doute le récit de Dumas, ce dernier lui rétorque péremptoirement: «Si vous y étiez, Prince, vous n'avez pas su voir.» En 1812, Dumas n'avait que dix ans. Il faut noter de plus que Dumas qui n'a vécu aucune guerre, si ce n'est quelques escarmouches à Paris lors des «trois glorieuses», et qui s'est rendu à Soissons chercher de la poudre à canon au nom de Lafayette, n'était pas ce qu'on qualifierait d'expert en stratégie militaire; néanmoins, ses vingt ans lui donnaient un panache dont son père n'aurait su rougir.

Ce culte pour l'Empereur, il ne le tient sûrement pas de son père qui avait eu de sérieux démêlés avec le général Bonaparte lors de la campagne d'Italie, puis lors de celle d'Égypte. Viscéralement républicain, le général Dumas était allé porter la guerre chez les voisins de la France, contre ces royautés «de droit divin» à travers l'Europe, dans l'espoir de faire adopter par tous les peuples opprimés les idées nouvelles issues du Siècle des lumières et défendues par la Révolution française. D'autre part, il faut s'empresser d'ajouter que le général Dumas ne partageait pas les excès de la Révolution et surtout ceux de la Terreur. Ne s'était-il pas opposé aux massacres perpétrés par Carrier contre les Vendéens? Plus largement, il faut aussi reconnaître que ces aspirations républicaines n'étaient acceptées, dans la pratique, que par de petits groupes de patriotes dans chacun des pays où les armées françaises avaient défait les royautés: à Naples par la mise en déroute des Bourbons, en Savoie, en Espagne, aux Pays-Bas, dans certains territoires soumis à l'empire austro-hongrois; il faut aussi comprendre que les peuples en général ne saisissaient pas toutes les implications de ce républicanisme. D'une façon générale et en reconnaissant que nous simplifions, pour les besoins de nos propos, des paramètres très complexes en ce qui a trait à ces événements historiques, il reste que le va-et-vient de ces armées et l'oscillation entre les royalistes-légitimistes et les républicains-révolutionnaires, selon les victoires ou les défaites des premiers et des seconds, produisaient sur les masses populaires conquises puis «restaurées» à la légitimité des réactions d'une violence inouïe, du moins dans les pays latins. Tandis que dans les pays germaniques, ces changements de régimes politiques liés au sort des armes ne provoquaient que des soubresauts mineurs entre les citoyens qui ne partageaient pas les mêmes idéaux, chez les Latins, d'autre part, ces mouvements politiques débouchaient non seulement sur des massacres, mais encore sur des règlements de comptes qui s'apparentaient à de véritables vendettas. Pour nous en convaincre, il faut se reporter, en ce qui a trait à l'Espagne, aux tableaux saisissants de Goya; quant à l'Italie, les chroniques regorgent de ces récits sanglants surtout autour de Naples et de la Sicile. C'est dans ces récits que puisèrent, au XIXe siècle, de nombreux librettistes et romanciers. Même le cinéma moderne y retrouve de piquants sujets. Encore de nos jours, il n'est pas un mois, une année où des revues historiques ne consacrent quelques pages aux noyades massives des patriotes de la Vendée. Ainsi le général Dumas, disions-nous plus haut, qui était un républicain convaincu, préféra-t-il se retirer plutôt que d'imposer aux territoires conquis-libérés une nouvelle dictature, celle de Bonaparte. Aussi bien Bonaparte que Napoléon ne saura pardonner, absoudre l'affront de ce «nègre de Jérémie». Bonaparte n'avait-il pas envoyé le général Leclerc, son beau-frère, écraser Toussaint-Louverture à Saint-Domingue (Haïti)? Il serait donc étonnant que le plus que français général Dumas, que l'on a refusé de tirer de sa misère ainsi que sa veuve, ait eu le temps ou même le désir d'inculquer au jeune Alexandre, son fils, ce culte de l'Empereur.

De qui tient-il donc cette idolâtrie? De sa mère, croyons-nous. Lorsqu'au lendemain des campagnes de Russie, d'Allemagne et de France, Napoléon abdique pour trouver refuge à l'île d'Elbe, Villers-Cotterêts, qui n'a jamais été profondément républicaine et encore moins bonapartiste, retrouve son petit train-train d'avant la Révolution avec le retour de Louis XVIII. Villers-Cotterêts, elle, est légitimiste-royaliste. Ces citoyens de Villers-Cotterêts travaillent chez les châtelains des environs, et chez ceux qui ont acquis les biens de la Révolution mais se comportent comme des pré-révolutionnaires. Ces bourgeois, eux, grâce à des alliances avantageuses, détiennent des postes de confiance attribués par l'Autorité royale. En somme, les républicains et les anciens soldats de l'Empire se terrent et se taisent. Ils se gardent bien d'afficher trop hautement leurs opinions, préférant qui une pension, qui un bureau de tabac pour survivre tant bien que mal. Quant à la veuve du général Dumas, elle obtient ce bureau de tabac grâce aux influences de ses cousins qui sont ouvertement royalistes.

Lorsque Napoléon débarque (1er mars 1815) à Golfe-Juan (c'est le sujet du *Comte de Monte-Cristo*), pour entamer ces Cent-Jours (fin 18 juin 1815), les Français sont profondément divisés. Et jusqu'à ce que le pouvoir de Napoléon soit bien établi à Paris, les légitimistes mettent aux arrêts tous ceux qui militent pour l'Empire. C'est le cas, par exemple, des frères Lallemand de Villers-Cotterêts, qui avaient tenté, au nom de l'Empire, de s'emparer du château de la Fère (ce nom paraît dans *Les Trois Mousquetaires*). Mme Dumas, qui était une bonapartiste convaincue, se rend avec l'aide d'autres bonapartistes à la prison où sont détenus les deux frères. Elle s'assure que son fils Alexandre pourra leur remettre des pistolets. Les frères Lallemand toutefois refusent cette aide, et puis Paris ordonne cette libération. Dumas n'a que treize ans lorsque sa mère l'entraîne dans cette folle aventure. Aussi, croyons-nous que ce militantisme pro-Napoléon serait né autour des anées 1815. Par fidélité d'une part aux idéaux maternels (Dumas adorait sa mère), d'autre part partageant sans nul doute les opinions politiques de ses jeunes contemporains plus ou moins républicains — même Victor Hugo a commis des textes pour le régime en place — et enfin surtout pour embêter les royalistes-légitimistes, Dumas se fait le défenseur de Napoléon, tant à travers ses textes dramatiques que ses textes romanesques. Les textes où Dumas cultive cette thématique sont fort nombreux: dans T*rente ans d'histoire de France* ou *Napoléon Bonaparte*, à travers ses récits de la vie des personnages qui gravitent autour de l'Empereur (Faria, Dantès), durant ses diverses campagnes militaires: *Le Château d'Eppstein; La Barrière de Clichy; Blanche de Beaulieu; Les Blancs et les Bleus; I Borboni di Napoli; Le Capitaine Richard; Les Compagnons de Jéhu; Le Comte de Monte-Cristo; Conscience l'Innocent; Dieu dispose; Le Drame de 93;*

Emma Lyonna; La Femme au collier de velours; Fin de Murat; Georges; Le Mariage au tambour; La Reine Caroline de Brunswick; La San-Felice; Trou de l'Enfer, etc. Par rapport à l'ensemble de l'oeuvre de Dumas, les textes sur Napoléon et autour de sa légende comptent pour 5,1 % de l'oeuvre – ce qui, avec les textes consacrés à Louis-Philippe (8,1 %), est absolument énorme. Les périodes couvertes par Dumas, au sujet de Napoléon, sont les suivantes: 1791, avant l'Empire; 1804-1815, l'Empire; peu après, l'exil à Sainte-Hélène de 1815 à 1821. En somme, ce sont des tranches importantes de la vie de l'Empereur.

Ce n'est certes pas la prise du pouvoir par Louis-Philippe qui rétablira la paix à Paris. À tout moment, et à propos de tout, il y a des émeutes populaires, toutes réprimées aussi brutalement, les unes après les autres, que sous le Régime royal. Lors des funérailles du général Lamarque (Hugo y fait allusion dans *Les Misérables*), c'est l'occasion d'une autre insurrection, et l'on voit ici et là Dumas, les armes à la main, encourageant les insurgés sur les barricades. Il faut aussi ajouter aux difficultés de vivre des Parisiens le choléra, qui emportera en quelques semaines plus de 18 000 habitants. Dumas est à couteaux tirés avec le régime du «roi-bourgeois». Il est ouvertement opposé à Louis-Philippe. Alors qu'il vient tout juste de sortir de cette pénible attaque de choléra, on lui conseille officiellement de se faire discret, c'est-à-dire de voyager. Il part donc pour la Suisse le 21 juillet 1832 et, le 14 septembre 1832, il se retrouve au château d'Arenenberg. Il y rencontre la reine Hortense de Beauharnais (1783-1837) maintenant duchesse de Saint-Leu et mère du futur Napoléon III.

Il y a deux versions de cette rencontre. La première, très réduite, succincte même, celle de ses carnets de voyages, puis la seconde que l'on retrouve dans son ouvrage *En Suisse*. C'est dans la seconde que Dumas explicite le mieux sa pensée sur son républicanisme et sur Napoléon. Voici un bref aperçu de ses propos:

> *— Je crois que vous êtes républicain? lui dit la duchesse....*
>
> *— Je n'hésiterai point à dire, rétorque Dumas, par quels points je touche au républicanisme social, et par quelle dissidence je m'éloigne du républicanisme révolutionnaire...*

Ensuite, il trouve que la révolution de 1830 «avait conduit tout simplement de la monarchie aristocratique à la monarchie bourgeoise» et qu'il lui fallait subir cette dernière comme une nécessité. Il règle donc ses comptes, dans un premier temps, avec Louis-Philippe dont il annonce la chute à plus ou moins brève échéance (1848). En second lieu, poursuivant ses propos avec la duchesse, Dumas se ménage élégamment quelques mises sur l'avenir. En effet, le fils de la duchesse sera le futur Napoléon III... «le petit» selon Hugo.

> *— ...j'oubliais, dit-elle, qu'avec vos opinions républicaines, Napoléon (beau-frère de la duchesse) doit n'être pour vous qu'un tyran.*
>
> *— ... À mon avis, poursuit-il, Napoléon est un de ces hommes élus dès le commencement des temps et qui ont reçu de Dieu une mission providentielle... À mon avis, les hommes comme Napoléon n'ont pas de père et n'ont pas de fils...*

Toutefois ceci n'empêche guère Dumas, qui prétend souvent parler au nom du peuple et l'éclairer, de rechercher (de lui rechercher) un père. Son désir conscient ou inconscient est de fournir à la France un père, en maintenant vivant auprès des masses ce culte de l'Empereur. Il va jusqu'à conseiller au prince Napoléon (III) de relever le gant, de se faire élire, et de porter la gloire de son oncle. D'ores et déjà, l'on voit à quel point le rôle et les propos de Dumas devant l'histoire deviennent ambigus.

À notre humble avis, il y a trois tendances concomitantes chez Dumas. Il sera pro-Napoléon de coeur (sa mère l'y ayant aidé), à la recherche d'un père, quoi! Il sera républicain d'esprit, d'autre part, afin de poursuivre cette mission dont il se croit investi par la mémoire du général, son père. Enfin, il sera «légitimiste» (royaliste ou autre chose) par intérêt. Ses amitiés avec Garibaldi, en 1860, arriveront peut-être à affermir ses options.

IV

LE VOYAGE,
SOURCE DE SES RÉCITS

Pour la plupart des lecteurs modernes de Dumas qui ne s'en tiennent qu'aux *Trois Mousquetaires,* qu'à *Vingt ans après,* qu'au *Vicomte de Bragelonne,* qu'aux *Mohicans de Paris* ou qu'au *Comte de Monte-Cristo,* les récits de voyage du romancier n'ont pas beaucoup d'intérêt. Pourtant ce sont ces voyages qui alimentent l'imaginationcréatrice del'écrivain. L'on peut, pour faciliternos propos, classerletoutsous *Impressions de voyage: Une année à Florence; L'Arabie heureuse; Les Bords du Rhin; Le Capitaine Aréna; Cinq ans de chasse dans l'intérieur de l'Afrique* (ou *Vie au désert*); *Le Corricolo; Un Gil Blas en Californie; Le journal de Mme Giovanni; Midi de France; De Paris à Cadix; Quinze jours dans le Sinaï; En Russie* (ou *De Paris à Astrakan,* ou *De Paris à Sébastopol,* ou *Le Caucase*); *Un pays inconnu; Le Speronare; En Suisse; Tanger, Alger et Tunis; Le Véloce; La Villa Palmiéri,* etc... et combien d'autres voyages sont-ils mentionnés par Dumas dans ses *Causeries* ou son *Bric-à-brac!* Certains éditeurs modernes ont repris avec plus ou moins de bonheur ces ouvrages, en y incluant préfaces et notes. Toutefois, à l'exception des rééditions de Claude Schopp, toutes ces nouvelles éditions sont très peu satisfaisantes parce que difficiles à lire. Il faut les annoter; donner les noms des lieux modernes équivalents; expliquer certains événements qui intéressaient Dumas. En somme, la matière est fascinante mais il faut la rendre accessible au lecteur, sans pour cela fournir une édition hypersavante. Au Canada, le Cercle du Livre de France tenta l'expérience de ces rééditions durant la guerre de 39-45, en donnant des récits de voyage de Dumas en prime à ses abonnés.

Dumas voyage beaucoup.

Il y a quelques années nous nous étions mis sur la route littéraire de Pierre Loti, ce qui devait nous mener à Istanbul. Notre déception fut énorme. Loti en effet, comme Claude Farrère, décrivait à travers ses ouvrages un univers étroit, marqué au coin des préjugés de l'impérialisme triomphant des Français au tournant du siècle. Bref, un exotisme de l'impérialisme. En ce qui a trait au Moyen-Orient et à l'Asie, il se pratiquait beaucoup de racisme. Or, chez Dumas, il y en a certes et, malheureusement, dans certains de ses ouvrages: *Georges, Isaac Laquedem, Le Prince des voleurs* et quelques autres. Ce racisme se concentre autour des nègres et des juifs. Il est largement le reflet des préjugés du milieu du XIXe siècle, le même racisme qui devait produire le scandale de l'affaire Dreyfus. Mais revenons à ces récits de voyages dumasiens. Veut-on retrouver à travers ces derniers des expériences vécues par Dumas? L'on sera évidemment déçu, comme chez Loti ou Farrère. Toutefois, ces matériaux peuvent servir à étayer la géographie et même la trame romanesque des autres écrits de Dumas. Celui-ci est intéressé à tout, attiré par tout sans trop de discernement. Sa formation d'autodidacte l'a rendu curieux à la manière des encyclopédistes. Établir des liens entre toutes ces connaisances ne semble pas, croyons-nous, l'inquiéter outre mesure. Ainsi, Dumas effectue de nombreux voyages: les uns lui sont recommandés, afin de se faire oublier de l'administration louis-philipparde; les autres, pour échapper à ses créanciers; enfin, certains de ses voyages sont commandités par l'État pour vanter les beautés, les vertus de la civilisation française qui s'est lancée dans le colonialisme à la suite des autres puissances européennes. Dans tous les cas, Dumas réussit à intéresser journaux et éditeurs, qui lui achètent ses chroniques de voyage.

Il est évident que lorsque les ministères, sous Louis-Philippe, moussent ces voyages de Dumas en Afrique du Nord, par exemple, c'est également pour faire oublier les difficultés intérieures qu'éprouve l'administration en place. L'on reporte l'attention du peuple sur les frontières. L'on vante ces victoires sanglantes sur les peuplades arabes, en combattant Abd-El-Kader (1807-1883) qui au XIXe siècle voulait libérer l'Algérie, comme au XXe siècle Abd-El-Krim (1882-1963) tentera de mettre à la porte de l'Afrique les Français et les Espagnols. Tout en étant contre le régime, Dumas le sert. Il reste que ces écrits attirent chez Dumas un certain nombre de voyageurs-explorateurs dont les exploits passeraient inaperçus si le romancier ne venait leur prêter son talent et son imagination dans le «rewriting» de leurs «journaux intimes». Ces travaux devant sans doute servir sa propre cause. Il nous vient à l'esprit les textes suivants où Dumas prête sa plume à l'auteur-explorateur: *Vie au désert*, par exemple, intéresse d'autant plus les Français que certains nobles vont mourir en combattant les Zoulous; Dumas hérite du manuscrit *Un Gil Blas en Californie* lors d'un voyage mouvementé, et par une nuit d'orage où il aboutit dans un petit hôtel de province! *Le journal de Mme Giovanni* relate les aventures d'une jeune épouse qui parcourt, avec son époux commerçant-aventurier, le sud du Pacifique, la Californie et le Mexique. Ce dernier récit paru dans un périodique de Dumas demeure inachevé; enfin, dans *Un pays inconnu*, c'est la chronique des aventures extraordinaires de marchands américains qui se perdent dans un territoire mythique de l'Amazonie; quant au texte *Quinze Jours dans le Sinaï*, il s'agit de la réécriture d'un récit de Dauzats qui faisait du tourisme officiel au nom du gouvernement français, en Égypte et dans le Sinaï.

Si les Français, disons la masse, voyagent peu au moment où Dumas fait paraître ses récits, c'est sans doute qu'ils avaient trop voyagé durant les campagnes napoléoniennes. Ainsi voyager, à l'époque de Dumas, était réservé *«to the happy few»* pour reprendre l'expression stendhalienne. Faute d'argent, les Français achètent les rêves que Dumas met à la portée de tous.

Lorsque Dumas entreprend son voyage en Suisse le 21 juillet 1832, il doit atteindre un double objectif: se faire oublier de la police, car il a pris les armes contre Louis-Philippe, et d'autre part fournir aux éditeurs une moisson de textes nouveaux. En somme, comme nous le signalions plus haut, faire voyager le peuple à travers son imaginaire. Son ouvrage *En Suisse* paraît aussi, en pièces détachées, dans *L'Auberge de Schwarsbach*, un récit fantastique et terrible; dans *Les bains de Louësche*; dans *Jacques Balmat le conquérant du Mont Blanc*, un événement sportif et scientifique; dans *Beefsteak d'ours*, récit où l'on mange l'ours qui a dévoré le chasseur; et dans une foule d'autres textes: «la mort de Charles le Téméraire»; «le col de Balme»; «les eaux d'Aix»; «une description de Fribourg»; «Gabriel Payot»; «les exploits de Guillaume Tell»; «les ours de Berne»; «une pêche de nuit»; «le Mont Saint-Bernard»; en somme, nous diraient les modernes, un guide Hachette avant l'heure. C'est d'ailleurs de cela que Louis Hachette, qui devint éditeur en 1826, s'inspira pour lancer dans les années 1853, le célèbre guide bleu distribué dans toutes les gares.

De toute cette variété de sujets, certains se détachent plus clairement pour devenir des romans, des contes ou des nouvelles autonomes, tel ce texte de *Pauline* qui, dès la première rencontre en Suisse, nous est décrite comme une phtysique en quête de guérison. Dumas la fait réapparaître ici et là comme un fil conducteur, peut-être même un leitmotiv, puis discrètement à la frontière de l'Italie, il nous mène près de son tombeau. Dans ce voyage en Suisse, l'on ne saurait passer sous silence le rôle «politique» que Dumas voudrait s'attribuer en devenant le conseiller des princes et des grands de ce monde. Cette rencontre de la reine Hortense au château d'Arenenberg, dont nous faisions mention précédemment, illustre bien cette volonté dumasienne.

De retour à Paris, ces frasques «pardonnées» ou «oubliées», Dumas récolte sur la scène les succès et les défaites dont les sources se retrouvent dans ce voyage en Suisse.

Pour combler ses besoins financiers énormes (tout, chez Dumas, est énorme) une nouvelle avenue s'ouvre à lui, c'est-à-dire l'écriture alimentaire. Il écrira des feuilletons pour Émile de Girardin.

De Girardin, il faut le rappeler, est l'inventeur de la presse de commerce en France; de la publicité dans ses journaux; des feuilletons qui accrochent les lecteurs traités comme une clientèle. Il invente même une notion moderne du journalisme: les mondes de la politique, de l'agriculture, de la diplomatie, de la mode, des affaires militaires, de la géographie et de la littérature.

Auprès de Girardin, Dumas s'engage à parcourir l'Europe et à lui fournir des chroniques et des reportages. Cette presse de commerce se charge des factures, et paie Dumas à la ligne. En 1834, Dumas organise une «expédition» en Italie. Il sera à Naples sous un faux nom. En effet, il a emprunté le passeport d'un certain Guichard. À Naples tous savent qu'il s'agit du célèbre Dumas, sauf la police. C'est durant ce voyage qu'il rencontre la fameuse cantatrice Caroline

Ungher, fiancée au musicien Ruolz. Alexandre et Caroline n'en finissent plus de s'aimer. Cet exploit amoureux, dont l'action se déroule tant à Naples qu'à travers la Sicile, est repris dans *Une aventure d'amour*. Il s'en fallut de peu que Dumas ne soit traîné au pied de l'autel. Enfin, la police ouvre les yeux, et Dumas est expulsé de Naples. Rendu à Rome, il rencontre le pape. Il est à nouveau chassé des États pontificaux. Il trouvera sa revanche en faisant paraître *Le Pape devant les Évangiles*. Ce voyage donnera naissance à des textes peu connus des lecteurs modernes: *Pascal Bruno*, *Murat* et *Jeanne de Naples*, qui paraîtront dans un ouvrage collectif: *Les Crimes célèbres* avec d'autres textes comme *Martin Guerre*, *La Marquise de Brinvilliers*, *La Marquise de Ganges*, *Urbain Grandier*. Plusieurs de ces textes ont été portés au cinéma sans que l'on en donne les sources... ou alors l'on se rabattait sur des sources antérieures et fort minces afin de ne pas en attribuer le crédit à Dumas.

En août 1838, Dumas part en excursion sur les bords du Rhin. Si Dumas est à la recherche d'idées nouvelles, de sujets exceptionnels qui paraîtront sous les titres: *Marceau ou les enfants de la République*; *La Mort de Karl Sand*; *Les Mariages du Père Olifus* puis *Albine*, il cherche aussi à refaire sentimentalement les divers trajets de cette armée de la République qui était commandée par feu son père. Il s'agit d'une sorte de pèlerinage sur les pas du général.

Après le décès de sa mère, on le sait, Dumas avait épousé Ida Ferrier que l'on qualifiait de «vieille maîtresse». Cette dernière surveillait jalousement tous les mouvements du coeur d'Alexandre. Dumas était doublement malheureux: d'une part, il était écrasé de dettes et, d'autre part, le Tout-Paris boudait ses textes. Il étouffe à Paris. Il est décidé avec ses créanciers,

Château de Monte-Cristo

ses éditeurs, ses comédiens, bref tout le monde en incluant son fils, qu'il lui serait bon d'aller s'installer à Florence où, grâce à sa plume, il pourrait en paix résoudre tous ses problèmes. Ayant emménagé dans une magnifique villa, il met une dernière main à trois *Impressions de voyage*; il fait également paraître *Le Chevalier d'Harmental*, *Bathilde*, *Le Capitaine Aréna*, *Lorenzino*, *Un mariage sous Louis XV*, *Jeannic-le-Breton* et son histoire de la peinture, *Italiens et Flamands*, *Mariage au tambour*, *Halifax*, *Sylvandire* et *Georges*. Seul? Évidemment pas, car il a une pléiade de collaborateurs. C'est aussi pendant son séjour à Florence qu'il apprend la mort accidentelle de son protecteur Ferdinand duc d'Orléans (1810-1842) fils aîné du roi Louis-Philippe. Dumas ressent d'autant plus le coup qu'il entrevoyait déjà, à travers ce fils héritier aux idées libérales et démocratiques, un accès en douceur à la république dont il rêvait.

C'est encore au cours de l'un de ses voyages, cette fois-ci à Marseille, que Dumas découvre les *Mémoires* d'un certain d'Artagnan, source de ses *Trois Mousquetaires*. Auguste Maquet en dresse la charpente et Dumas met de la vie et du mouvement dans tout cela. En 1844 (mars) paraissent les premières livraisons de cet immense feuilleton *Les Trois Mousquetaires*. La fortune de l'auteur est refaite; la fortune du genre historique en feuilleton est également faite.

C'est aussi grâce à Maquet, très versé en histoire mais piètre écrivain, que Dumas pourra donner le jour à une longue série de romans historiques: *La Reine Margot*, *Le Comte de Monte-Cristo*, *Le Chevalier de Maison-Rouge*, *La Dame de Monsoreau*, *Le Vicomte de Bragelonne*, *Une Fille du Régent*. Ces succès de librairie méritent un monument. Aussi bien le faire soi-même, de se dire Dumas. Il se fait donc construire un manoir à Marly-le-Roy, en face de

Versailles, qu'il baptise Monte-Cristo. C'est aussi à cette époque que Dumas ajoute à sa signature le titre de «marquis de la Pailleterie». Puis, à la manière des princes au pouvoir, chez qui il n'est plus reçu, Dumas donne de somptueuses réceptions dont tous les journaux de Paris parlent. Dumas se décerne le pouvoir de la notoriété. C'est alors que le Ministère lui propose un voyage en Afrique du Nord. Il lui faudra vanter les politiques coloniales auprès des Français et les encourager à acquérir des terres en Algérie, en Tunisie et au Maroc. Pour se rendre en Afrique, Dumas entreprend de traverser l'Espagne par petites étapes. Il transforme ses aventures de voyage en récits et en causeries: *Don Bernardo de Zuniga*; *Don Juan de Marana*; *Don Martin de Freytas*; *Gentilhomme de la Montagne*; *Gentilshommes de la Sierra-Morena*; *Heure de prison* (*Marie Lafarge* ou *Marie Capelle*) etc. en sont les principaux titres.

Comme Dumas ne fait jamais les choses simplement, et qu'il a pris littéralement possession d'une frégate française, les députés de l'opposition attaquent le gouvernement pour avoir accordé «une mission officielle à ce faiseur de romans-feuilletons». Dumas se défend en déclarant qu'il a perdu de l'argent dans cette «aventure».

Son Théâtre historique qui a repris depuis quelques mois de vieux textes romantiques fait faillite. Nouvelles difficultés financières? Dumas se sauve en Belgique. Avant son départ, il assiste à la Révolution de 1848. Il tente vainement de se faire élire député. Il est battu à diverses reprises. Louis-Philippe qui, comme Charles X, s'est régugié en Angleterre, meurt. Dumas s'y rend pour être présent aux funérailles un peu en tant que reporter, un peu en tant qu'«ami». Il est fort mal accueilli par la famille de Louis-Philippe.

Cour intérieure du château d'If sur laquelle aurait donné le cachot de Dantès.

Toutefois ceci permet à l'écrivain de recueillir un autre récit fantastique qui paraît sous le titre de *Pasteur d'Asbourn.*

Survient le coup d'État des 1er et 2 décembre. Napoléon III s'empare du pouvoir. Tous les dissidents doivent quitter la France ou risquer la déportation ou la prison. Dumas et Hugo se réfugient à Bruxelles. Quoi qu'en dise Dumas, si Hugo doit s'exiler à cause de ses idées politiques, ce n'est pas son cas. Il part effectivement pour éviter d'être emprisonné pour dettes. À Bruxelles, la résidence de Dumas devient le point de rendez-vous de tous les Français exilés. Ce séjour à Bruxelles lui donne l'occasion de rencontrer d'autres écrivains comme Henrick Conscience, dont il transforme en français les écrits qui deviennent *Conscience l'Innocent.*

Nouveaux voyages, nouvelles oeuvres en perspective. Il n'écrit jamais, selon ses dires, sans avoir visité les lieux qui l'inspireront. Il repart pour l'Italie en 1852. Il y prépare *Isaac Laquedem*, puis *La Maison de Savoie.* Son *Isaac Laquedem* demeure inachevé. Toutefois ce que peu d'historiens de la littérature savent, c'est que le récit se poursuit et se termine à New York. En effet, le Louisianais Alfred Mercier, qui sera engagé comme administrateur du *Dartagnan* en février 1868, termine ce récit sous le titre d'*Énoch Jédésias,* qui paraîtra dans *Les Comptes rendus de l'Athénée louisianais* à la fin du siècle. C'est d'ailleurs auprès de Dumas et grâce à lui que Mercier apprendra son métier de romancier.

Dumas rêve toujours de voyages. Une espèce de fuite en avant. Il effectue des reportages sur les élections britanniques pour le compte de Girardin. Il descend sur Marseille où il veut faire construire son propre navire et comme Ulysse parcourir la Méditerranée. De retour à Paris afin de préparer ce voyage, il rencontre le comte et la comtesse Koutcheleff. Ces Russes invitent Dumas à visiter la Russie. Nous sommes en 1858. La Méditerranée? Ce n'est que partie remise. En moins de cinq jours, il réunit armes et bagages et il s'embarque le 15 juin 1858 pour la Russie. Trois jours plus tard il est à Berlin et le 19 de ce même mois, à Stettin. À la fin de juin, il touche à Saint-Petersbourg. Jenny Falcon, maîtresse du comte Narychkine, ne peut résister au charme de Dumas. Elle cède, elle «pèche» dit-elle, avec ce Dumas de trente ans son aîné. Néanmoins et malgré ses «péchés», Dumas se rend sur la Volga. En octobre, il atteint Astrakan. En novembre 1858, il est à Bakou et en janvier 1859 chez les Tatars; en février à Constantinople, puis à Athènes. Auprès d'un constructeur grec, il se commande un «clipper» de soixante-deux pieds, et en mars 1859, il est de retour à Paris.

Durant ce voyage, non seulement Dumas abreuvera-t-il les lecteurs de son journal le *Monte-Cristo* de récits et d'aventures russes, tous plus palpitants les uns que les autres, mais encore il fera connaître à sa manière des textes d'écrivains russes dont il adaptera les récits à partir de traductions «médiocres». Ainsi paraîtront: *La Maison de glace de Lazhenchinkov* et des nouvelles de Marlinski et de Pouchkine. Il faut rappeler que Pouchkine était mulâtre comme Dumas, mais d'origine éthiopienne. Naîtront sous la plume de Dumas, également, de nouvelles versions de *La Frégate l'Espérance*, de *Jane*, d'*Ammalat-Beg* (ou *Sultanetta*), de *Moullah-Nour* et d'autres récits comme *Le Chasse-Neige*, *Un coup de feu*, *Le Faiseur de cercueils*, *L'Ouragan*, textes que l'on retrouve surtout dans *Les Souvenirs d'Antony*.

À peine est-il de retour de Russie que l'Italie se soulève contre l'Autriche. Cette fois l'Italie est fortement appuyée par la France. En France, il y a affrontement entre les républicains pro-Italiens et les ultramontains qui veulent protéger l'intégrité des États du pape et surtout l'autorité politique de ce dernier sur les Italiens.

Dumas en profite pour régler ses comptes en faisant paraître un ouvrage percutant, *Le Pape devant les Évangiles*, condamné immédiatement et même brûlé sur la place publique. Cet ouvrage, qui était devenu extrêmement rare à cause de l'audodafé, fut réédité en 1960 chez Gallimard et préfacé par Craig Bell. Il est à nouveau presque impossible à trouver.

Dans cet ouvrage où il se range du côté de Napoléon III, Dumas prend la défense de l'unité italienne et il vilipende Mgr Antonelli de la manière suivante:

> *"il est un de ces ministres fatals, comme la vengeance de Dieu en envoie aux princes qu'il aveugle, et sous lesquels les monarchies déchoient, glissent et tombent. Ces ministres s'appellent Olivarès sous Philippe IV, Godoy sous Ferdinand VII, Polignac sous Charles X, Guizot sous Louis-Philippe, Antonelli sous Pie IX.*
> *Au-dessus d'eux est la folie: au-dessous d'eux est l'abîme."*

Voilà! Dumas est reparti en campagne, cette fois aux côtés de Cavour et de Garibaldi.

V

ENTRE LE TRÔNE ET LA RÉPUBLIQUE

Comme nous le notions plus haut, il est difficile d'établir le degré de républicanisme d'Alexandre Dumas. Néanmoins, pour tout résumer et rendre les choses claires, Dumas, qui est né au début de l'Empire, serait un girondin de par son père (c'est-à-dire hostile à l'Ancien Régime, idéaliste révolutionnaire de tendance libérale) et, de par sa mère, bonapartiste (c'est-à-dire partisan de la liberté nationale par le code et l'épée, par la parole et l'action... assurée par la dynastie). L'on ne peut encore évoquer la Gironde, si l'on se reporte à Lamartine, sans aussi évoquer du même souffle sa contrepartie, la Montagne.

Nous notions également précédemment à quel point les peuples latins et périméditerranéens sont portés, en politique, à réduire leurs adversaires. C'est au nom de ce principe «réducteur» que les idées des Montagnards que l'on qualifierait de nos jours de «gauchisantes» menèrent à la Terreur. Que d'excès au nom de la *patrie!* Quant aux Girondins, de «droite» (peut-être), libéraux-bourgeois (sans doute) mais, pour être plus justes à leur égard, que nous qualifierions de modérés-démocrates pour la liberté dans le pluralisme, ils furent liquidés par les premiers au nom de la dictature populaire. Il reste que ces deux forces vives, ces deux idéologies persistent, sous l'Empire, sous la Restauration, sous Louis-Philippe et même jusqu'à la Commune de Paris en 1871. Ces deux forces vives cohabitent dans les oeuvres de Dumas dans des textes peu connus comme *Les Girondins* et *Le Chevalier de Maison-Rouge*. Et lorsque le père du romancier se sépare de Napoléon, en Égypte, c'est parce qu'il est plus un girondin et un républicain modéré qu'un révolutionnaire inconditionnel.

Garibaldi

Dumas s'explique sur son républicanisme avec la duchesse de Saint-Leu dans *En Suisse*, en affirmant qu'il est un pacifiste au nom du pluralisme; ceci ne l'a pas empêché quelques années plus tôt, en juillet 1830 et en 1832, de parcourir les rues de Paris les armes à la main pour défendre les idées républicaines.

D'autre part, si l'on parcourt chronologiquement la vie de Dumas, l'on note que s'il s'est taillé un espace social, c'est bien à cause de ses relations avec le «pouvoir» qui occupait l'avant-scène durant les années 1820, 1830, 1848, pouvoir qui se définissait comme «légitimiste».

En 1838, n'écrit-il pas:

> *«appartenant moi-même à une ancienne famille dont par une suite de circonstances étranges je ne porte plus le nom j'ai toujours pris à tâche malgré mes opinions à peu près républicaines de grandir notre vieille noblesse au lieu de l'abaisser... ». (À Jean-Auguste d'Auffray.)*

Et à maintes reprises, il n'oublie pas d'évoquer cette «noblesse ancienne», en faisant donner de la «marquise» à son épouse Ida Ferrier qui termine ses jours en Italie dans le lit du comte Villafranca. À nouveau, il revient sur cette noblesse, lors du mariage de sa fille Marie avec Pierre-Olinde Petel qui meurt fou. Et qui sont les cosignataires de ces actes de mariage? Des amis choisis parmi les membres de cette «ancienne noblesse» dont de Chateaubriand, qu'il avait courtisé lors de son voyage en Suisse. Ne se fait-il pas le «mentor» du jeune prince Napoléon (futur Napoléon III) auquel il rend visite lorsqu'il est en prison; avec lequel il organise sur les îles de la Méditerranée une partie de chasse dont on retrouve des traces dans les archives de Portoferraio (Elbe). Sous Louis-Philippe, il annonce qu'il sera élu député; sous la brève république de 1848, il désire encore être député de la Gironde (sans succès); puis sous l'Empire, il rêve d'être académicien. Nous pourrions ainsi aligner les exemples où Dumas ne dédaignait pas fréquenter le «pouvoir» et les grands de ce monde. Sinon par goût, du moins par intérêt! De ces diverses têtes couronnées d'Europe, il obtient (ou sollicite) une panoplie de décorations. En Angleterre, il courtise les lords; en Allemagne, les princes; chez les Slaves, les comtes et les tsars; en Italie «les puissances» déchues de leurs pouvoirs. Enfin, il publie un énorme ouvrage: *Histoire de la vie publique et privée de Louis-Philippe (1771-1851)*. Bref, 31 % de son oeuvre porte sur la royauté française de 1610 à 1850. Dans l'ensemble de son oeuvre, il traite de plus de 90 régimes politiques importants à travers le monde, et avec lesquels il entretient une volumineuse correspondance. Si ce n'est pas par goût, serait-ce du moins par intérêt?

Et Garibaldi là-dedans? Outre la lourde correspondance qu'il entretient avec Garibaldi entre 1860 et 1864, correspondance que l'on retrouve dans diverses bibliothèques italiennes, et où il lie son sort à celui du libérateur de la Sicile, Dumas publie les textes suivants: *I Borboni di Napoli*, *Une visite à Garibaldi*, *Les Garibaldiens*, *Le Fléau de Naples*, *Mémoires de Garibaldi*, *Une Nouvelle Troie* (*Montevideo*), *Révolution de Sicile et de Naples* (*Les Garibaldiens*), *Emma Lyonna* et *La San-Felice*. Comment Dumas en arrive-t-il à se lancer dans cette aventure garibaldienne?

Chez Dumas, les choses ne se produisent jamais simplement, c'est-à-dire dans un ordre logique ou quasi mathématique. Ainsi, Dumas part pour Florence afin de faire changer le pavillon de son bateau construit par des Grecs, et menacé de saisie. C'est en hiver, et là il apprend que Garibaldi est à Turin. Aussi bien lui rendre visite, se dit Dumas, et écrire un article sur ce héros national. Pourquoi s'intéresse-t-il à Garibaldi? C'est que l'Italie s'agite. Elle voudrait s'unir et se libérer des diverses royautés qui la dominent. Dumas a aussi pris conscience que ce Garibaldi, disciple de Mazzini, qui a joué un rôle important dans la défense de Montevideo contre les Rosas de Buenos Aires, accomplira encore de plus grandes choses pour son propre pays.

En 1850, Dumas faisait paraître *Montevideo ou une Nouvelle Troie* dans *Le Mois* et chez Chaix. Dumas tenait ce récit de Pacheco y Obez, représentant de son gouvernement auprès de la France. Garibaldi avait quitté l'Italie (Gênes) en 1834, et s'était rendu avec d'autres Italiens libéraux en Amérique du Sud, participer aux luttes pour la liberté. Aussi pendant cinq ans Garibaldi combat-il pour le progrès et la liberté contre la barbarie et les comportements rétrogrades des assiégeants de Montevideo, déclarait Dumas. S'agissait-il de défendre la liberté des peuples, la cause était toujours celle qu'épousait le romancier.

Mais revenons à ce froid mois de février 1859. Dumas atteint Turin, rencontre Garibaldi qui connaît déjà ce texte sur Montevideo où le romancier le traite en héros défenseur des démocraties. C'est l'amitié entre ces deux géants, le coup de foudre qui unira leur destinée dans ce nouveau combat... unir l'Italie. Dumas déclare au général qu'il le suivra jusqu'au bout du monde s'il porte le flambeau de la liberté; enfin qu'il lui prêtera sa plume pour rédiger ses *Mémoires* et même son autobiographie. Cette rencontre quoique brève est efficace, et Garibaldi est rappelé auprès du roi de Sardaigne, Victor-Emmanuel II, qui sera proclamé roi d'Italie en mars 1861. Ce dernier ordonne à Garibaldi de lever une armée (les Mille ou les Chemises rouges) et d'aller libérer la Sicile et Naples de la domination des Bourbons.

Avant de retourner à Marseille où l'attend son équipage bigarré, Dumas passe par Rome et y achète pour une chanson une goélette qu'il baptisera «Emma». Elle lui sera livrée à Marseille et décorée et réaménagée par ses amis artistes peintres. Un rapide séjour à Paris l'assure que son éditeur Lévy lui remettra régulièrement ses redevances, durant cette expédition péri-méditerranéenne, et qu'un certain nombre de périodiques lui achèteront ses «aventures» à venir. Il a d'ores et déjà les moyens financiers d'effectuer ce tour de la Méditerranée dont il rêve depuis plusieurs années.

Après avoir été célébré par la population de Marseille, fait citoyen d'honneur de la ville, ce nouvel Edmond Dantès (ou Monte-Cristo) fait lever l'ancre de sa goélette avec à son bord une vingtaine de personnes, toutes à ses crochets, et dont un (une) joli (e) mousse Émile (Émilie), dernière acquisition du romancier. Sa taille s'arrondissant durant neuf mois, Émilie donne naissance à une dernière fille de Dumas (père), qui sera prénommée Micaella, en décembre 1860.

Il vient à peine d'atteindre l'Italie que l'on apprend que Garibaldi et ses hommes sont débarqués en Sicile. Ce dernier est victorieux. Dumas y accourt. À Palerme, au bruit des derniers coups de canon, sur les ruines encore fumantes, Dumas retrouve Garibaldi. Il assiste à la reddition de la forteresse. Pour reprendre une expression napoléonienne: le boulet qui l'emportera n'est pas encore coulé. Garibaldi a-t-il besoin de fusils? Dumas met le cap sur Marseille pour lui procurer ces fusils et ces munitions. Un peu à la manière de Beaumarchais qui s'était fait marchand d'armes pour les insurgés américains, Dumas se lance dans ce même négoce. Ceci sera peu profitable à Dumas, puisque Garibaldi ne répond pas à ses nombreuses lettres réclamant le paiement de ces fusils. Il livre ces armes en Calabre puis jette l'ancre devant Naples, où il attend que François II en soit chassé pour entrer triomphalement aux côtés de Garibaldi dans cette ville d'où, quelques années plus tôt, il avait été chassé comme un criminel de droit commun. Garibaldi, au grand scandale des Napolitains, le nomme directeur des musées. Il s'agit d'une fonction honorifique. Mais Dumas la prend au sérieux. Il rédige beaucoup; il élabore de nombreux projets. Il se livre aussi semble-t-il (ce sont les Napolitains qui le déclarent) à de nombreuses parties de chasse et à des orgies. Quant à la goélette «Emma», elle aura été durant cette campagne tour à tour manufacture de chemises rouges, bureau de recrutement pour les patriotes, imprimerie de propagande politique et transporteur d'armes.

À Naples, Dumas fonde un journal, *L'Indépendant*, voué à la défense des libertés civiles et de la démocratie, et surtout pour «surveiller» les agissements du «dictateur» Garibaldi...! En quelques mois, il rédige l'histoire des Bourbons de Naples: *I Borboni di Napoli*. Puis, il apprend qu'il y a dissension entre Cavour et Garibaldi. Il apprend aussi que l'ex-roi de Sardaigne ne supporte plus Garibaldi, qui s'était lancé dans la conquête du reste de l'Italie afin d'y établir une certaine unité. Se serait-il produit pour l'Italie de 1860 ce qui s'était produit en France en 1830? L'avènement de Victor-Emmanuel II ne serait qu'une reprise de l'avènement de Louis-Philippe Ier, à en croire les articles de Dumas dans *L'Indépendant!* Il rencontre une dernière fois Garibaldi qui est sur le point de se retirer dans son île de Caprera, comme naguère Cincinnatus était retourné à sa charrue après ses nombreuses victoires militaires. Enfin, devant l'inéluctable retraite de Garibaldi, Dumas, une dernière fois, lui offre sa goélette et son équipage afin qu'il puisse se distraire et sortir au besoin de sa vie austère et frugale.

De cette aventure garibaldienne Dumas conclura avec amertume, ce qui était rare chez lui, que cette tentative de liberté et d'unité n'avait abouti, à toute fin pratique, qu'à reproduire la Révolution de Juillet. La république de ses rêves était encore bien lointaine.

Si l'on apprend beaucoup de choses sur «l'agir» de Garibaldi à travers ces écrits de Dumas, par ailleurs, l'on ne connaît pas ou peu la pensée politique et sociale de ce patriote italien à travers ces mêmes textes. Lui qui, jadis, avait si âprement reproché à un général de la Moskova de ne pas avoir «su voir», avait-il su comprendre, en ce qui a trait à Garibaldi?

Néanmoins, cette aventure italienne et napolitaine devait donner naissance à une dizaine d'ouvrages dont *Les Mémoires d'une favorite, La San-Felice, Emma Lyonna* et la série des *Garibaldiens*. S'ajoute à cette expérience l'aventure ratée pour aller aux côtés de Garibaldi, libérer l'Albanie et la Grèce des oppresseurs turcs. Dans ce dernier projet de conquête, il avait été mystifié par un faussaire.

En 1864, il est de retour à Paris où il doit à nouveau gratter ses fonds de tiroirs et surtout ceux des autres pour faire paraître quelques ouvrages alimentaires.

Dumas n'est plus du tout assuré que l'avenir se loge à l'enseigne des républicains. Il effectue encore quelques voyages pour prendre le pouls de l'Europe, pour se cueillir d'autres idées, d'autres thèmes durant ces quelques années qui précèdent et la guerre de 1870 et sa mort.

VI

UN HOMME SE PENCHE SUR SON PASSÉ

«Le personnage le plus étonnant peut-être, écrit Pierre Josserand, en tout cas, le plus vivant, qu'ait jamais campé Dumas, c'est lui-même.»

Ce bon mot, Josserand le tient, semble-t-il, d'Hippolyte Parigot qui le tient de Sainte-Beuve qui le tient de Charles Hugo qui déclarait:

«Tout le monde a lu Dumas, mais personne n'a lu tout Dumas, pas même lui.»

Ceci nous ramène à expliquer les raisons de la naissance des *Mémoires*, qui occupent plus de trois mille pages, depuis 1802 à 1834 environ, et jusqu'à 1842 si l'on y joint ses *Souvenirs*. Dès ses premières lignes, Dumas annonce à son public que ses chroniques égaleront celles de Villehardouin et de Joinville. En somme, cinquante années de culture et de politique françaises.

«Alexis-*Noiret*, Dumas *noir* et Cie, Fabrique de romans Alexandre Dumas et Cie, le dernier des exclavagistes du 19e siècle», et l'on pourrait allonger cette nomenclature des insultes qui sont lancées à Dumas, à partir des années 1840, par les Delvau, les Watripon, les Mirecourt, les Quérard et qui encore. Dumas contre-attaque en ayant recours aux tribunaux et souvent à l'épée et au pistolet. Ainsi, la parution des *Mémoires* de Dumas dans les années 1850 n'est-elle pas étrangère d'une part à l'accumulation de ces insultes et de ces calomnies que l'on porte non seulement sur ses écrits, mais encore sur sa propre personne; d'autre part, il faut bien le reconnaître, Dumas a un grand besoin d'argent, alors parler de lui-même.. pourquoi pas?

Dimanche, 1er Octobre 1854. — 1re Année. Un numéro : 30 Centimes. Édition hebdomadaire. — N° 1.

BUREAUX
À PARIS,

PRIX D'ABONNEMENT

1re ÉDITION

2e ÉDITION

ABONNEMENT

LE MOUSQUETAIRE

JOURNAL DE M. ALEXANDRE DUMAS.

LES MOHICANS DE PARIS (1)

PAR ALEXANDRE DUMAS.

CHAPITRE Ier.

DANS LEQUEL L'AUTEUR LÈVE LE RIDEAU SUR LE THÉATRE OÙ VA SE JOUER SON DRAME.

Bien que Paris soit une très grande ville, son monde littéraire en 1850 est encore bien petit. Les succès des uns ne sauraient que susciter des jalousies chez les autres. D'autant plus acidulées et violentes qu'il semble que les gains qui s'y rattachent sont importants. C'est le cas, par exemple, du financier Girardin, à qui l'on reproche entre autres ses origines douteuses, «illégitimes». A-t-il survécu à tous les régimes, «c'est qu'il les a tous trahis». Il faut, croyons-nous, dire que le programme de Girardin n'était pas mince:

> *«Il n'est pas de succès que je ne jalouse, pas une jolie femme que je ne convoite: les richesses me tentent, les honneurs encore plus; je désire tout, depuis la santé du vigoureux colporteur, jusqu'au crédit du député qui a accaparé toutes les places, jusqu'à la conscience du fournisseur enrichi, jusqu'au parchemin de l'émigré.»*

Si Dumas, ami intime de Girardin, n'a pas adopté tout ce programme, il en a effectivement pratiqué certaines parties; il s'est, par le fait même, attiré les mêmes ennemis. L'on doute de l'«estrace» (le mot est du XVe siècle) française de Girardin; dans le cas de Dumas cette insulte se transforme en «estrasse», qui signifie «gaspillage». De Girardin est riche, il s'adresse aux tribunaux... Dumas, lui, utilise sa plume. D'autres comme Charles Havas, ce magnat de la presse vilipendé par Balzac, règlent leurs comptes avec leurs adversaires, à l'épée, au pistolet ou en les ruinant. Ne trouve-t-on pas l'écho de ces méthodes dans *Le Comte de Monte-Cristo?* Quant à Dumas, s'il ne s'est pas privé de quelques duels, drôles ou ridicules parfois, il préfère encore la plume, qui rapporte plus qu'un obscur duel avec un personnage aussi obscur par un

1re ANNÉE. No 1. UN NUMÉRO, 15 CENTIMES. JEUDI 23 AVRIL 1857

Toute traduction et reproduction sont interdites.

LE MONTE-CRISTO

JOURNAL HEBDOMADAIRE DE ROMANS, D'HISTOIRE, DE VOYAGES ET DE POÉS

PUBLIÉ ET RÉDIGÉ

PAR ALEXANDRE DUMAS, SEUL.

BUREAUX DE VENTE ET D'ABONNEMENT
A PARIS,
RUE NOTRE-DAME-DES-VICTOIRES, No 11.
Les lettres non affranchies seront refusées.

PRIX D'ABONNEMENT

PARIS :		DÉPARTEMENTS :	
Un an........	8 fr. »»	Un an..........	10 fr.
Six mois......	4 50	Six mois........	5

Toutes les demandes d'abonnement doivent être adressées à M. DELAVIER, rue Notre-Dame-des-Victoires, 11, avec une valeur sur Paris, ou un man sur la Poste. — Écrire très-lisiblement les adresses pour éviter toute fausse destination. — (*Affranchir.*)

CAUSERIE AVEC MES LECTEURS.

Chers lecteurs,

L'enfant prodigue est revenu à la maison — mais dans uel état, bon Dieu ! — je n'ose vous le dire.

Regardez la vignette.

Vous l'avez tous connu, n'est-ce pas, lorsqu'il s'appelait e *Mousquetaire*. Il n'était pas somptueusement vêtu — montre la corde ; enfin, peut-être se présentait-il à yeux assis, parce que, de sa longue marche, ses bo étaient encore plus fatiguées que lui ; mais, néanmo si modestement couvert qu'il fût, il était couvert.

Tandis que, je vous le répète, voyez la vignette.

Mais qu'a donc fait l'enfant prodigue pour revenir

triste matin frisquet et brumeux à l'orée du bois de Boulogne ou du bois de Vincennes, alors qu'à la même époque Vigny préférait cette musique «au fond du bois».

Dumas s'est donc réfugié à Bruxelles pour éviter les ennuis financiers de sa faillite du Théâtre historique, où l'on jouait depuis quelques années du théâtre «rétro», c'est-à-dire romantique. Est-il «exilé» comme Victor Hugo ou Noël Parfait après le «coup d'État» du 2 décembre 1851? Certes pas! Il n'est pas le «proscrit» politique qu'il laissait entendre. Son nom n'apparaît pas sur les listes de la police politique française.

Dumas, depuis Bruxelles, annonce à son public lecteur qu'il se fait le témoin fidèle de sa génération à l'endroit de cette première moitié du 19e siècle. Son récit débute avec son enfance. Il démontre avec force documents (actes de mariage, de naissance, extraits de registres) qu'il est bel et bien le fils légitime du général Dumas et de Louise Labouret. Il en profite pour tracer un portrait, «lui aussi véridique», de son père, né à Jérémie (Haïti). Il est, toutefois, plus discret sur cette naissance puisqu'elle est le résultat des ébats amoureux d'Alexandre de la Pailleterie et de l'esclave Marie-Cessette. Il consacre ensuite plus de vingt chapitres à décrire la vie glorieuse de feu le général Dumas, et ce jusqu'à son agonie. Le découpage des grands moments de la vie du général est toujours celui de l'exceptionnel quand ce n'est pas purement et simplement de l'excentricité. Dumas insiste sur la force herculéenne de son père, capable de soulever entre ses cuisses un cheval, en s'accrochant fermement aux poutres du toit des écuries; ou il évoque encore le jour où, à demi-nu, il parcourt les rues du Caire pour mater la révolte des Mamelouks et où il entre à cheval dans la grande mosquée pour y châtier les insurgés. Ce jour-là, les arabes le prennent pour «l'ange exterminateur». Sa méthode épouse celle de ses romans-feuilletons: le mouvement des corps (batailles, cavalcades, etc.) de ses héros est le reflet du mouvement de l'âme et de l'intelligence. Ainsi, le général Dumas décrit par son fils n'est ni plus ni moins que la prolongation des agissements des héros des *Trois Mousquetaires* et du *Comte de Monte-Cristo*. Il se produit, écrit-il, une nouvelle brouille entre le général Dumas et Bonaparte. Dumas vend ses biens, s'achète «quatre mille livres de café moka, onze chevaux arabes, dont deux étalons et neuf juments». Il grée une goélette qu'il baptise «la Belle-Maltaise» et il prend le chemin du retour. La goélette est assez mal en point. Elle risque de couler. Voilà le café, les chevaux et les bagages qui sont jetés à la mer. En cours de traversée, Dumas recueille «par pure humanité» quatre capitaines napolitains dont les bâtiments avaient été coulés devant Alexandrie. Ce geste n'est pas sans nous rappeler celui de Gonzalve de Cordoue dans *Les Abencérages* (1821), premier drame de Dumas en collaboration avec de Leuven. Où s'arrête la vérité, où débute la fiction dans ces narrations? Il faut d'autant plus s'inquiéter de la véracité de ces récits (non pas de la vraisemblance) que le romancier réinventera les agissements de son père, dix ans plus tard, lors de son aventure garibaldienne.

Le général meurt des suites des mauvais traitements subis à Brindisi. C'est alors que Dumas révèle son intérêt pour le fantastique. À l'heure même du décès de son père, il a une apparition qu'il décrit de la manière suivante:

> *«À Minuit, je fus réveillé... par un grand coup frappé à la porte.*
> *Mais, moi qui aujourd'hui frissonne presque en écrivant ces lignes, moi, au con-*

traire, je n'éprouvai aucune peur. ...je vais ouvrir à papa, qui vient nous dire adieu. ...Quelque chose de pareil à une haleine expirante passa sur mon visage et me calma! Adieu papa! Adieu papa!»

Les chapitres qui suivent nous rappellent la jeunesse de l'auteur à Villers-Cotterêts, jeunesse marquée et dominée par des frasques et des malheurs: incendies, accidents, morts, les Cent-Jours, Waterloo, la défaite de l'Empereur, des analyses événementielles. Le romancier se choisit un anagramme: Samud. Puis il entre au service du duc d'Orléans. C'est à travers ces premiers chapitres que la plupart des biographes de Dumas ont écumé les nombreux détours du cheminement de son enfance. Peu se sont intéressés à relever les éléments insolites qu'ils comportent.

Rendu chez le duc d'Orléans, Dumas parfait son éducation tant littéraire que sociale. Le romancier reconnaît qu'à maints égards cette éducation est déficiente. Il est de plus amené, en tant que secrétaire-copiste, à connaître la vie intime du duc. Cette occasion lui est offerte lorsque le duc est accusé par une certaine Maria-Stella Petronilla-Chiappini-Newborough, baronne de Sternberg, d'être l'usurpateur de l'immense fortune des Orléans. Voyons brièvement les faits. Il faut remonter à l'année 1772. Le père du duc d'Orléans, Louis-Philippe-Joseph dit Philippe Égalité, se serait rendu en Italie avec son épouse enceinte. Le couple avait pris le titre de comte et comtesse de Joinville. En Italie, l'épouse aurait accouché d'une fille qui, le même jour, fut échangée contre le fils d'un geôlier. Il faut noter qu'au moment de ces poursuites, les frères cadets du futur roi, Montpensier et Beaujolais, sont morts respectivement en Angleterre et à Malte, laissant Louis-Philippe Ier seul héritier de cette immense fortune. Maria-Stella sait parfaitement cela. Elle fait modifier les actes de naissance par le greffier de Faenza (Italie), Ange Morigny. Ainsi peut-elle clamer qu'elle est la fille héritière de Philippe Égalité, et que Louis-Philippe Ier n'est que le fils d'un geôlier. Sous Louis XVIII et Charles X (bien que ces derniers n'appréciassent guère Louis-Philippe), cette affaire tourna en queue de poisson. Il ne s'agissait que de réclamations d'une aventurière. Néanmoins, le duc Louis-Philippe décide de répondre à cette plaignante. Après avoir, à Dumas, reproché sa ponctuation «curieuse»:

> *«Je ne savais pas plus la ponctuation qu'autre chose, de s'excuser Dumas; je ponctuais selon mon sentiment, ou plutôt je ne ponctuais pas du tout... Aujourd'hui encore, je ne ponctue que sur les épreuves...»*

et le duc, poursuivant sa dictée, déclare:

> *«Et quand il n'y aurait que la ressemblance frappante qui existe entre le duc d'Orléans et son auguste aïeul Louis XIV...».*

À ce propos, Dumas s'arrête net d'écrire. Il ignore évidemment que le Régent (le grand-père du duc) a épousé Mlle de Blois, fille naturelle de Louis XIV et de madame de Montespan; le duc le rappelle à ses écritures en déclarant:

> *«Monsieur Dumas, apprenez ceci: c'est que lorsqu'on ne descendrait de Louis XIV que par les bâtards, c'est encore un assez grand honneur pour qu'on s'en vante... Continuez.»*

Et Dumas d'ajouter dans ses *Mémoires* qu'il vérifia la chose chez Saint-Simon et chez la princesse Palatine.

Toutefois, il ne faudrait pas croire que de telles anecdotes soient rapportées d'une façon naïve ou anodine. Au contraire, par ce biais, en quelque sorte, Dumas justifie l'existence même de ses propres ancêtres dont la filiation pouvait être «douteuse». Si le duc peut se vanter de ses ancêtres «bâtards», pourquoi pas lui?

Quelques mois après l'exposition de ce souvenir intime à l'endroit du duc, en 1852, Dumas reprend ce récit dans *Histoire de la vie publique et privée de Louis-Philippe.*

Jusqu'au chapitre cent vingt de ces *Mémoires,* les «potins et nouvelles» de Dumas alternent entre la descrition de son travail chez le duc et la vie théâtrale, la mort de Byron,la vie de Talma, la mort du général Foy, la mort d'Alexandre de Russie, les prodigalités de Frédéric Soulié et les acteurs anglais à Paris; bref, les sujets les plus divers nous mènent insensiblement au chapitre cent vingt et un et à son *Henri III,* à son premier duel avec un certain Charles B., qui ne sait même pas manier les armes.

Avec son entrée à l'Arsenal de Charles Nodier, débute pour Dumas une nouvelle phase de sa vie, c'est-à-dire celle de l'exploration des sensations fantastiques. Nodier, on le sait, racontait des choses étranges. Ceci passionne Dumas au plus haut point. Depuis le décès de son père, Dumas est demeuré fasciné par l'au-delà du réel. Il se fait «magnétiser» et lui-même réussit à «magnétiser». Il s'intéresse aux médiums qui auraient le pouvoir de communiquer avec les esprits. C'est aussi à cette époque qu'il se lie d'amitié avec Victor Hugo, comme lui fils de général d'Empire et comme lui «génial». Une telle amitié mérite certes que soient consacrées quelques centaines de pages de biographie (chapitre 126 à 132) exclusivement à Hugo et à sa famille.

Jusqu'à la Révolution de Juillet de 1830, à travers ces pages, l'on vit littéralement et passionnément

ANNÉE, NUMÉRO 1. — 10 CENTIMES. — MARDI 4 FÉVRIER 18

DARTAGNAN
JOURNAL
ALEXANDRE DUMAS
PARAISSANT LES MARDIS, JEUDIS ET SAMEDIS

Rédacteur en Chef :
Alexandre DUMAS

ABONNEMENTS :
Paris et Départements
MOIS . . . . 4 FR.
MOIS . . . . 8 FR.
. . . . 15 FR.
Etranger, port en sus.

Le Numéro : 10 centimes

BUREAUX
5, PLACE DE LA BOURSE, 5

Manuscrits non insérés seront brûlés après un certain laps de temps.

DARTAGNA
JOURNAL
D'ALEXANDRE D
PARAISSANT LES MARDIS, JEUDIS

Administrateur
Alfred MERC

ABONNEMENTS
Paris et Départem
Trois mois. . . . . .
Six mois . . . . . .
Un an . . . .
Etranger, port en s

Le Numéro : 10 cen

BUREAUX
5, PLACE DE LA BOUR

Il sera rendu compte des importants dont il aura été exemplaires

DARTAGNAN

Dans son prochain numéro, DARTAGNAN commencera la publication du livre de Marie-Alexandre DUMAS, intitulé :

MADAME BENOIT

Causerie

—

Eh bien, oui, c'est d'Artagnan sur son cheval jaune. Artagnan, qui, remuni des conseils de son père, s'est mis une seconde fois en route pour Paris, avec trente trois écus dans sa poche et une autre lettre, pour M. de Tréville.

Il a toujours sa mine allongée, sa rapière sans fin et sa langue provocatrice, ce qui va lui faire encore bon nombre d'ennemis ; mais il a toujours aussi son cœur droit, son esprit loyal et le baume de madame sa mère, qu'il offre à ses adversaires mêmes, avant de se battre avec eux, ce qui doit lui faire quelques amis.

Puis, c'est son second voyage dans la capitale, et il a plus d'expérience qu'à son premier ; il sait à ses dépens qu'il ne faut point à brûle-pourpoint chercher querelle au premier venu, et qu'en la cherchant seulement même à ceux qui méritent qu'on la leur fasse, il pourra bien, dans notre temps d'extrême tolérance, être regardé comme Don Quichotte, s'escrimant contre des moulins à vent.

Il trouvera Paris bien changé depuis 1845, époque à laquelle il a fait son apparition.

Et en effet, matériellement et intellectuellement, Paris est l'envers de ce qu'il était à cette époque-là : nous ne nions pas que matériellement il ne se soit fort embelli, grâce à M. Haussmann, mais nous avons peur qu'intellectuellement il ne se soit fort détérioré, grâce à M.....

Bon ! voilà que j'allais débuter par nommer un masque, à l'époque où les masques n'ont pas de nom.

Cela l'étonnera peut-être d'abord notre pauvre d'Artagnan, mais il est contemporain de Galilée, il sait que la terre tourne et qu'elle est parfois, ne pouvant rester en place, forcée d'accepter le mouvement, à la place du

Et si nous voulions parler de la peinture ; si nous nommions les successeurs de Delacroix, d'Ingres, d'Horace Vernet, de Flandrin, de Bellanger, peut-être serait-ce encore pis.

Mais que voulez-vous ? D'Artagnan est philosophe ; il sait que la route de la vie est comme celle de Tarbes, qu'elle monte et qu'elle descend. Il prendra le temps comme il vient, Paris comme il est.

Et puis c'est un gaillard qui a le nez fin que d'Artagnan. Comme un bon chien de chasse qui veut, en entrant dans une plaine, savoir à qui il aura affaire, il a pris le vent avant que de se mettre en route, et il a senti que l'époque était à la réaction. Il s'est aperçu que si l'art était moins disposé à produire, l'esprit était plus savant à critiquer.

Il a vu que les hommes de style, à tout prendre, avaient succédé aux hommes d'action, et que s'ils ne faisaient pas l'enfant eux-mêmes, ils habillaient et déshabillaient proprement les enfants des autres. Il a moins lu les grands journaux qui, avec leurs dix mille, quinze mille, ou vingt mille abonnés ne sont plus rien, mais en revanche il a beaucoup lu, les petites gazettes, et les petites feuilles qui, avec leurs tirages de 100,000, 200,000 ou 300,000, sont tout. Il est bien résolu d'offrir dans son cœur la place d'Athos à Henri Rochefort, celle de Porthos à Timothée Trimm, et celle d'Aramis à Tony Révillon.

Il s'inscrira chez About, chez Tenne, chez Prévost-Paradol ; il se fera présenter à Sarcey ; il passera chez Albert Wolf pour lui serrer la main, chez Jules Vallès pour y mettre sa carte, au *Charivari*, pour lever son chapeau au vénérable Altaroche, et si dans toutes ces courses il aperçoit Commerson, quoique l'esprit du *Tintamarre* ne soit pas tout à fait son esprit à lui, il lèvera la main pour lui faire signe et lui dire de loin : bonjour, bonjour. Car il est convaincu que l'esprit, sous quelque forme qu'il se produise, est une chose beaucoup plus rare que ne le disent les imbéciles, qui croient, sur je ne sais quel témoignage, que l'esprit court les rues.

Mais c'est à l'endroit de la science qu'il compte se rattraper. Il a pris sur son carnet les noms de Pasteur, de Claude Bernard et de Villemain, et il compte bien leur demander tous les mois quelques lignes de leur main sur ces infusoires qui font et défont la pauvre espèce humaine, ... curare qui n'était qu'un narcotique

tiers, à La Rochelle, à Rochefort, les débuts
Pearl (pardon si je n'écris pas correctem
c'est la première fois que je l'écris) et les
Mlle Silly et de Mlle Schneider, qui ont ce
certaine importance puisqu'elles ont manqu
l'étranglement d'un spectateur payant, à la
présentation de la revue de la Porte-Sain
province n'a pas encore été appelée à appré
et l'élégance de l'une et à applaudir les
l'autre. — Pardon, mesdames, *cascade* est
cherche depuis quelque temps à s'introdui
et qui n'est encore parvenu qu'à s'introduir
— et si la chose n'importe pas à la prov
demande un peu quel attrait elle peut avoi
qui est la province de la province.

Ce n'est pas que d'Artagnan se refuse a
causerie, à l'anecdote ; il fera sa causerie
monde, et racontera son anecdote comm
venu ; mais il appuiera toujours causerie
d'un roman soit de lui, soit d'un confrère
soit enfin d'une jeune plume qu'il jugera
faire connaître. Et à propos de réputatio
s'employer à défaire celles qui sont fait
toutes les fois qu'il y verra matière à en
velles comme il vient de vous le dire. Sa p
sa loyauté sous ce rapport seront toujour
en appelle aux trois mille jeunes gens qu
sa vie, la main et le cœur ouverts, et les
s'ils n'ont pas trouvé en lui un ami toujo
lateur souvent, un soutien quelquefois.

Et sous le rapport du roman, d'Artagn
faites point attention à sa maigre valise : s
le rapport des manuscrits était trop cu
être mis en croupe : il vient par le chemi

Voir le prospectus.

Puis viendra la critique théâtrale séri
Nous rechercherons les causes de la prét
de l'art dramatique, causes qui, à notre a
pas des hommes qui font de l'art, mai
n'en faisant pas par impuissance, empê
les autres d'en faire. Nous irons cher
leurs sièges d'académicien, non pas po
cher, ils ne déparent pas la collection,
la complètent, ceux-là qui sont les vra
nous renverrons la faute à qui de dr

dans les coulisses du monde théâtral: Mlle Georges, Mlle Mars, Marie Dorval, La Malibran, Signol, Harel, Jules Janin, Eugène Sue, Vigny, Alphonse Karr, etc.

Dumas promet beaucoup mais n'a pas toujours le temps matériel d'accomplir ses promesses. Un soir qu'il soupe chez Harel en compagnie de Mlle Georges, Harel décide de l'emprisonner durant huit jours et de le forcer à écrire cette pièce *Napoléon*. Et Harel ne lui rendra la liberté que lorsque les acteurs auront approuvé la pièce.

Éclate alors la Révolution de Juillet. Dumas s'empresse de décrire les têtes d'affiches de cette révolution: Étienne et François Arago, le colonel Gourgaud, Mazue, Béranger, Oudard, le général Pajol, le général Gérard, le banquier Laffitte et le général Lafayette qui a participé à la guerre de l'Indépendance américaine et qui frustre les républicains de leurs effort en remettant le pouvoir entre les mains de Louis-Philippe. À cette époque, Dumas n'est pas encore un «penseur» politique. Il est un homme d'action. Il est partout à la fois; aux barricades où il encourage les patriotes et où il distribue des armes; dans les alcôves de la politique et des intriques où il obtient le mandat d'aller chercher de la poudre à canon à Soissons; puis un second mandat le mènera en Vendée afin de conseiller Louis-Philippe sur la manière de traiter ces royalistes qui prenaient fait et cause pour le petit-fils de Charles X, «l'enfant du miracle», Henri de Chambord (1820-1883), dont la mère n'était nulle autre que Caroline de Bourbon-Sicile, duchesse de Berry. Avec la même fougue qu'avait démontrée sa mère, la reine Caroline de Naples, contre la république parthénopéenne (1799), la duchesse de Berry tente de soulever contre Louis-Philippe et la Provence, et la Vendée. Louis-Philippe dépose le «rapport Dumas» sur les tablettes. À la suite d'un tel affront, c'est la rupture entre le romancier et le roi. En 1832, Dumas prend même les armes contre le roi. Né après la Révolution française et dans le sillage de celle-ci, Dumas croit qu'il est de son devoir d'effectuer sa propre révolution s'il veut voir triompher son républicanisme, affirme-t-il dans ses *Mémoires*.

La dernière étape de ces *Mémoires* va de 1830, date de la fin de l'action dans son drame *Anthony*, à 1832 (avec un tiroir sur 1834), c'est-à-dire la querelle autour de la détention de la duchesse de Berry à la forteresse de Blaye.

Du chapitre 156 au chapitre 264, nous constatons qu'il s'agit d'une série de biographies dont celles d'Odilon Barrot, de Béranger, de Benjamin Constant, de Chodruc-Duclos, d'Alphonse Rabbe, de La Mennais et son journal *L'Avenir*, de Meyerbeer, de Véron, de Casimir Delavigne, d'Alfred Johannot, de Clément Boulanger, de Granville, du général Dermancourt, de Metternich, du duc de Reichstadt, de George Sand et d'Eugène Sue.

Non pas que Dumas ne sache parler de lui-même; mais le fait-il, qu'il choisit de s'introduire à l'intérieur de ces chapitres en rapportant ses exploits au pistolet, ses aventures drôlatiques, tel le jour où à Trouville (chapitre 208), poursuivi par un poisson géant, il court en tenue légère à son hôtel chercher son fusil de chasse afin de tuer raide ce cétacé qu'il croyait dangereux. Une autre fois, rendant visite au château d'un de ses amis, un certain Dupont-Delporte, il se fait braconnier pour nourrir tous les gens qui l'accompagnent. Toujours dans ce registre de la chasse, ayant à donner une fête grandiose où il y avait des centaines d'invités, le Tout-Paris, quoi!, il effectue une chasse énorme et il réussit à payer ses traiteurs en échangeant ses cervidés contre des pâtés et des vins.

Puis, brusquement, Dumas tire sa révérence après

avoir décrit avec force détails les «duels politiques» autour de la grossesse mystérieuse de la duchesse de Berry séquestrée à la forteresse de Blaye. Le 10 mai 1833, la duchesse donne naissance à un enfant dont le père serait le comte Luchési-Palli.

> *«Et, maintenant, nous demandons, implore Dumas, à nos patients et fidèles lecteurs de clore provisoirement ici la série de nos Mémoires... nous reprendrons notre plume de chroniqueur, avec l'espoir de fournir de nouveaux et curieux matériaux à l'histoire véridique de notre temps.»*

Ces propos de Dumas nous ramènent à ses déclarations initiales:

> *«Nos Mémoires sont ceux de la peinture, de la poésie, de la littérature et de la politique des cinquante premières années de ce siècle.» (Ch. 207.)*

Ces déclarations sont sans doute partiellement vraies; mais ces *Mémoires* sont surtout un «Dumas par lui-même», à la manière des personnages de ses romans, Richelieu, par exemple, où il fait dire par des tierces personnes à quel point il est génial... Le plus grand personnage de l'oeuvre de Dumas, à n'en pas douter, c'est encore lui-même.

Conclusion

«J'AIME CEUX QUI M'AIMENT.»

Une telle devise, de nos jours, fait sourire, surtout si l'on se souvient du nombre de conquêtes amoureuses du romancier. Pour se rendre compte de son doigté en la matière, il faut relire cette riche correspondance «amoureuse» mise à jour par Claude Schopp. Toutefois, rien chez lui ne laisse transpirer le moindre signe d'une contrepartie, c'est-à-dire de la haine à l'endroit de ceux qui ne l'auraient pas aimé. Dans de nombreux cas, il renoue des amitiés avec ceux qui lui firent des procès ou tinrent des propos fielleux à son endroit. Il y a chez Dumas, dans ses relations humaines, une fidélité et une bonté incroyables, de la naïveté même au point de ne pouvoir admettre qu'on lui veuille du mal. À cet égard, l'exemple le plus frappant, est certes celui où Hugo lui fait quelques crasses, et cela malgré une longue amitié. Est-ce par orgueil, est-ce par jalousie que Victor Hugo lance des propos malveillants à l'endroit du «bon géant»? Dumas n'ose y croire. Il échange avec Hugo une longue correspondance pour clarifier ce malentendu. Il faut y noter tous les tons, toutes les tournures de la part de Dumas pour éviter le pire. Il ne prie pas Hugo d'avouer ses torts, de s'excuser au nom de cette vieille amitié. Au contraire, Dumas laisse entendre qu'il ne croit pas qu'Hugo soit capable de telles méchancetés. «Quelqu'un a dû modifier le texte d'Hugo à son insu... » Et si le tout s'arrange, si les plaies se cicatrisent, c'est bien grâce à Dumas et non grâce à Hugo, qui ne cède pas un millimètre au sujet de cette «malheureuse lettre». On le sait, nous la citions plus haut, une lettre de Victor Hugo à Alexandre fils montrera que cette amitié — grâce à Dumas — perdure au-delà du tombeau.

En ce qui a trait aux nombreuses maîtresses du romancier, il faut aussi reconnaître que, dans de nombreux cas, il n'y eut pas une résistance farouche en la «citadelle». La rupture accomplie, Dumas leur demeure amicalement fidèle même après ces éclats et ces orages tous aussi romantiques les uns que les autres. Dumas aurait voulu les aimer toutes simultanément. Sa vie entière, il n'en finit plus de se compliquer l'existence pour éviter de blesser les unes et les autres... Un coeur trop généreux? Ou un besoin excessif d'être choyé et aimé?

C'est à l'égard de ses personnages que s'expriment sans doute le mieux ces excès de générosité et d'amour. Ayant fait durant plus de dix ans le tour de son oeuvre, nous arrivons à établir qu'il y avait plus de vingt-quatre mille allusions à autant de personnages historiques. Notre étonnement ne s'est pas arrêté là: nous avons dénombré treize mille personnages principaux et secondaires dans ses récits. Même après avoir réduit le tout, il est resté encore plus de quatre mille personnages principaux, soit le double et quelques poussières de plus que chez Balzac... Dostoïevski est loin encore derrière... Ce n'est pas peu dire.

Cette vie intime qui se noue et se dénoue entre l'auteur et ses personnages n'est pas unique à Dumas durant la période romantique. Voyons quel charme, quelle fascination même Stendhal éprouve à l'égard de son Mosca, de son Fabrice, de la Sanseverina; il en est de même pour Balzac envers Chabert, Birotteau, Eugénie Grandet, la princesse de Cadigan; Eugène Sue n'en finit plus de s'expliquer à l'endroit de Fleur-de-Marie, de Chourineur, et même de monsieur Bras-Rouge, ce grammairien du Tapis-Franc; de même, l'on pourrait longuement s'étendre sur les particularismes de Valjean et de Javert dans *Les Misérables* d'Hugo.

Enfin Dumas, roman après roman, ne quitte ses personnages qu'après y avoir laissé beaucoup de lui-même: Dantès, Bragelonne, les trois Diane, Gertrude d'Eppstein, Martin de Freytas, Mme de Gramont, Karl Sand, Lazhenchinkoff, Richelieu et le père Joseph, de Maison-Rouge, Ange Pitou, Hélène de Saverny, Noirtier de Villefort. Cette peine est telle qu'elle inquiète même le fils du romancier. En effet, dans les années 1850, son fils se présente un jour chez lui et le trouve, dans sa baignoire, désespéré, en larmes. «Que t'arrive-t-il papa, de demander le jeune Alexandre? Qui a pu te mettre dans un tel état?» – «Ne m'en parle pas, de rétorquer Alexandre aîné, j'ai dû envoyer d'Artagnan à sa mort, et je n'arrive pas à m'en consoler.»

Ceci se passait au moment où Dumas écrivait la dernière partie des *Trois Mousquetaires, Le Vicomte de Bragelonne ou Dix ans plus tard* (1848-50). Dumas devait alors faire mourir d'Artagnan au siège de Maëstricht, en jouant un peu sur la chronologie véritable.

Dumas survivra encore quelques années à la mort de d'Artagnan. Mais comme jadis on écrivait sur les cadrans solaires: «chaque heure vous blesse, la dernière vous tue», Dumas laisse à chaque nouveau récit un peu plus de sa propre vie, jusqu'au jour où, en 1870, il est convoqué par le Père Éternel pour y rendre compte de son écriture avec ses vingt-quatre mille personnages. Quel romancier autre que Dumas aurait imaginé, avec autant de passion, de se faire accompagner dans l'au-delà par un tel cortège!

POUR EN SAVOIR PLUS

Bassan, Françoise, *Présentation, notes et variantes du Théâtre complet de Dumas,* Paris, Lettres modernes (Minard), 1974.

Biet et alter., *Alexandre Dumas ou les Aventures d'un romancier,* Paris, Gallimard, 1986, 208 p.

Bulletin de l'Association des amis d'Alexandre Dumas, vol. I, 1971 à vol. XI, 1982. Devient *Cahiers d'Alexandre Dumas* , n° 12, 1983 au n° 15, 1986.

Decaux, Alain, *Bonnes adresses du passé: Port-Marly, Villa Monte-Cristo.*
O.R.T.F., émision de Jean-Jacques Bloch et Roland-Bernard, documentation Antoine Graziani (1970), 58 minutes.

Dumas, Alexandre, dans *Europe,* 48e année, n° 490-491, février-mars 1970, 195 p.

Dumas, Alexandre, *Mes Mémoires,* Paris, Gallimard, 1968, 4 tomes. Notes de Pierre Josserand. Nouvelle édition préparée par Claude Schopp.

Glinel, Charles, *Alexandre Dumas et son oeuvre,* Reims, F. Michaud, 1884, rééd,. Genève, Slatkine, 1967, 518 p.

Hamel, Réginald et Pierrette Méthé, *Index analytique des personnages et des situations dans l'oeuvre d'Alexandre Dumas (père),* Montréal, 1979-1986, 1907 pages.

Henry, Gilles, *Monte-Cristo ou l'extraordinaire aventure des ancêtres d'Alexandre Dumas*, Paris, Perrin, 1976, 186 p.

Landru, Robert, *À propos d'Alexandre Dumas, les aïeux, le général, le bailli, premiers amis*, Villers-Cotterêts, chez l'auteur, 1977, 215 p.

Maurois, André, *Les Trois Dumas*, Paris, Hachette, 1957, 501 pages.

Monro, Douglas, *Alexandre Dumas père: A Bibliography of Works*, New York/London, Garland, 1978/1981.

Parigot, Hippolyte, *Le drame d'Alexandre Dumas*, Paris, s. éd., 1899.

Poisson, Georges, *Monte-Cristo, un château de roman*, Marly-le-Roy, éd. Champflour, 1987, 122 p.

Reed, Frank, W., *A Bibliography of Alexandre Dumas (père)*, London, Neuhys, 1933, 467 p. (Bibliographie reprise par Douglas Munro, en 1978-1981.)

Schopp, Claude, *Alexandre Dumas, le génie de la vie*, Paris, Mazarine, 1985, 558 p. (Le meilleur ouvrage sur Dumas depuis Parigot.)

Wilson, V.-E. Roberto, *Le général Alexandre Dumas*, Québec, Quisqueya, 1977, 286 p.

DU MÊME AUTEUR

A) *Livres*

1965	*Le Préromantisme au Canada français (1764-1844)*, Montréal, Librairie des Presses de l'Université de Montréal, 127 p. (épuisé).
1966	*Bibliographie des lettres canadiennes-françaises*, Montréal, *Études françaises*, P.U.M., numéro spécial, juin, 111 p.
	Cahiers bibliographiques des lettres québécoises, Montréal, Centre de documentation des lettres canadiennes-françaises, vol. 1, n°s 1-4, 1176 p.
1967	*Cahiers bibliographiques des lettres québécoises*, Montréal, Centre de documentation des lettres canadiennes-françaises, vol. 2, n°s 1-4, 1116 p.
	La Littérature et l'Érotisme (essai), Montréal, I.S.E.F., 162 p. (épuisé).
1968	*Cahiers bibliographiques des lettres québécoises*, Montréal, Librairie des Presses de l'Université de Montréal, vol. 3, n°s 1-4, 843 p.
1969	*Cahiers bibliographiques des lettres québécoises*, Montréal, Librairie des Presses

	de l'Université de Montréal, vol. 4, n°s 1-2, 346 p. (fin des *Cahiers*).
	La Correspondance de Charles Gill 1885-1918, Montréal, Parti pris, 247 p. (édition critique), (épuisé).
1970	*Introduction à la littérature québécoise des origines à l'École littéraire de Montréal*, Montréal, Librairie des Presses de l'Université de Montréal, 257 p. (épuisé).
1972	*Une de perdue, deux de trouvées de Boucher de Boucherville*, Montréal, HMH, 473 p. (édition critique), 2e éd., 1980.
1974	*Procès-verbaux, correspondance et autres documents inédits sur l'École littéraire de Montréal*, réunis, classés et annotés par Réginald Hamel, Montréal, Librairie des Presses de l'Université de Montréal, 933 p. (épuisé).
	Bibliographie sommaire sur l'histoire de l'écriture féminine au Canada (1769-1961), Montréal, Librairie des Presses de l'Université de Montréal, 134 p. (épuisé).
1975	*Analyse de la documentation canadienne dans les universités françaises*, Montréal/Ottawa, Ministère des Affaires extérieures, 94 p.
1976	*Gaétane de Montreuil, journaliste québécoise (1867-1951)*, Montréal, L'Aurore, 213 p. (épuisé).

	Dictionnaire pratique des auteurs québécois (en collaboration avec John E. Hare et Paul Wyczynski), Montréal, Fides, 725 p.
1977	*Analyse de la documentation canadienne dans les universités belges,* Montréal/Bruxelles, Ministère des Affaires intérieures et extérieures, 115 p.
1978	*Analyse de la documentation canadienne dans les universités israéliennes,* Montréal/ Jérusalem/Tel-Aviv, Ministère des Affaires intergouvernementales, 71 p. – suivi de *Mission en Israël,* Montréal/ Ottawa, Canada-Israel Foundation for Academic Exchange, 16 p.
1979	*Alexandre Dumas (père), bibliographie, chronologie et index des personnages,* Montréal, Librairie des Presses de l'Université de Montréal, 511 p. (épuisé).
1979-86	*Index analytique des personnages et des situations dans l'oeuvre d'Alexandre Dumas (père)* (en collaboration avec Pierrette Méthé), Montréal, Librairie des Presses de l'Université de Montréal, LXI, 1907 p.
1982	*Alfred Mercier, L'Habitation Saint-Ybars ou maîtres et esclaves en Louisiane,* Montréal/ Manchester, National Material Development for French and Creole/Pierre Clément de Laussat, 340 p. (épuisé), 3e éd,. Montréal, Guérin Littérature, 1988 (édition critique).

Répertoire pratique de littérature et culture québécoises (en collaboration avec Émile Bessette et Laurent Mailhot), Montréal, Fédération internationale des professeurs de français, 64 p. (épuisé).

1984 *La Louisiane (créole) (1762-1900). Littéraire, politique et sociale,* Montréal, Librairie des Presses de l'Université de Montréal, 1979, 490 p.; 1984, Montréal, Leméac, 2 tomes, 679 p.

B) *Production audio-visuelle*

1981 *La Nouvelle Corvée des Hamel* (historique),
1982 Montréal/Québec, Association des F.H. (scénario-réalisation), 58 m 30 s.

1984 *Musicians on the Road,* Montréal/New York, Soc. Pierre C. de Laussat (scénario-réalisation), vidéo 68 m (Clip for Star Search).

1986 *Le Mont Saint-Michel, Douze siècles d'histoire* (en collaboration avec les Monuments historiques de France), Montréal/Parais, Soc. Pierre C. de Laussat (scénario-réalisation), vidéo 56 m 10 s.

Claude Schopp et Alexandre Dumas (interview), Montréal/Paris, Prod. P.-C.-L. (scénario-réalisation), vidéo 56 m.

1986 Haïti nº 1 (interview), *Pradel Pompilus* (historien de la littérature), Montréal/Port-au-Prince, Prod. P.-C.-L., 60 m (VHS).

Haïti nº 2 (interview), *Roger Gaillard* (historien), Montréal/Port-au-Prince, Prod. P.-C.-L., 60 m (VHS).

Haïti nº 3 (interview), *Thomas Désulmé, Indiustriel et Homme d'État*, Montréal/Port-au-Prince, 54 m (VHS).

Haïti nº 4 (interview), *Raymond Chassagne* (poète), Montréal/Port-au-Prince, 60 m (VHS).

Citta'Del Mare ou les Québécois retrouvés, Montréal/Palerme, Ministère du Tourisme de la Sicile, 70 m (VHS).

Passeport Sicile, Montréal/Palerme, Ministère du tourisme de la Sicile, 15 m (VHS).

Haïti nº 5, *Première République noire du monde*, Montréal/Port-au-Prince, Prod. P.-C.-L., 46 m (VHS).

Sans presse

Index analytique des personnages et des situations dans l'oeuvre d'Alexandre Dumas (père) (en collaboration avec Pierrette Méthé), Montréal, Librairie des Presses de l'Université de Montréal, LXI, 1864 p.

Dictionnaire des auteurs de langue française en Amérique du Nord, en collaboration avec John E. Hare et Paul Wyczynski, Montréal, Fides (septembre 1988).

TABLE DES MATIÈRES

Achevé d'imprimer
en l'an mil neuf cent quatre-vingt-huit
sur les presses des ateliers Lidec inc.,
Montréal, Québec.